SE ENCONTRAR ESTE DIÁRIO,
POR FAVOR DEVOLVA PARA

# MAX CRUMBLY

IMPORTANTE: Se EU estiver desaparecido, por favor
entregue este caderno para as autoridades!

## AVISO:
Este diário contém
humor muito doido,
ação eletrizante,
suspense de roer as unhas,
raps maneiros
e momentos de pura tensão!

# Outros livros de
## RACHEL RENÉE RUSSELL

*Diário de uma garota nada popular:*
*histórias de uma vida nem um pouco fabulosa*

*Diário de uma garota nada popular 2:*
*histórias de uma baladeira nem um pouco glamourosa*

*Diário de uma garota nada popular 3:*
*histórias de uma pop star nem um pouco talentosa*

*Diário de uma garota nada popular 3,5:*
*como escrever um diário nada popular*

*Diário de uma garota nada popular 4:*
*histórias de uma patinadora nem um pouco graciosa*

*Diário de uma garota nada popular 5:*
*histórias de uma sabichona nem um pouco esperta*

*Diário de uma garota nada popular 6:*
*histórias de uma destruidora de corações nem um pouco feliz*

*Diário de uma garota nada popular 6,5: tudo sobre mim!*

*Diário de uma garota nada popular 7:*
*histórias de uma estrela de TV nem um pouco famosa*

*Diário de uma garota nada popular 8:*
*histórias de um conto de fadas nem um pouco encantado*

*Diário de uma garota nada popular 9:*
*histórias de uma rainha do drama nem um pouco tonta*

*Diário de uma garota nada popular 10:*
*histórias de uma babá de cachorros nem um pouco habilidosa*

# Desventuras de um Garoto nada comum

## O HERÓI DO ARMÁRIO

LIVRO 1

**RACHEL RENÉE RUSSELL**
com Nikki Russell e Erin Russell

Tradução
Silvia M. C. Rezende

*8ª edição*
Rio de Janeiro-RJ/São Paulo-SP, 2024

VERUS
EDITORA

Título original: The Misadventures of Max Crumbly: Locker Hero
Editora executiva: Raïssa Castro
Coordenação editorial: Ana Paula Gomes
Copidesque: Anna Carolina G. de Souza
Revisão: Raquel de Sena Rodrigues Tersi
Diagramação: André S. Tavares da Silva
Capa e projeto gráfico: adaptação da original (Karin Paproki)
Ilustrações: © Rachel Renée Russell, 2016

Copyright © Rachel Renée Russell, 2016
Tradução © Verus Editora, 2016
ISBN 978-85-7686-536-0
Todos os direitos reservados, no Brasil, por Verus Editora.
Nenhuma parte desta obra pode ser reproduzida ou transmitida por qualquer forma
e/ou quaisquer meios (eletrônico ou mecânico, incluindo fotocópia e gravação) ou
arquivada em qualquer sistema ou banco de dados sem permissão escrita da editora.

Verus Editora Ltda. Rua Argentina, 171, São Cristóvão, Rio de Janeiro/RJ,
20921-380, www.veruseditora.com.br

CIP-BRASIL. CATALOGAÇÃO NA FONTE
SINDICATO NACIONAL DOS EDITORES DE LIVROS, RJ

R925d
Russell, Rachel Renée
    Desventuras de um garoto nada comum : o herói do armário : livro 1 / [texto
e ilustração] Rachel Renée Russell ; tradução Silvia M. C. Rezende. - 8. ed. -
Rio de Janeiro: Verus, 2024.
    il. ; 21 cm.      (Desventuras de um garoto nada comum ; 1)
    Tradução de: The Misadventures of Max Crumbly : Locker Hero
    ISBN 978-85-7686-536-0
    1. Ficção infantojuvenil americana. I. Rezende, Silvia M. C. II. Título. IV. Série
16-35244                           CDD: 028.5
                                        CDU: 087.5

Revisado conforme o novo acordo ortográfico

Impressão e acabamento Gráfica plena print

*Para o verdadeiro Max Crumbly, meu sobrinho Preston, um super-herói com um sorriso encantador sempre pronto para salvar o dia com o seu típico golpe de caratê e seu fiel companheiro, Chase, o cão*

# DESVENTURAS DE UM GAROTO NADA COMUM
## (COISAS IMPORTANTES QUE VOCÊ PRECISA SABER CASO EU DESAPAREÇA MISTERIOSAMENTE)

1. Minha vida secreta de super-~~herói~~ zero
2. Se houver um cadáver dentro do meu armário, provavelmente sou EU!
3. Como o Darth Vader virou meu pai
4. Arrumem uma fralda! Rápido!
5. Por que enfiei o pé no balde de pipoca da minha irmã
6. Sim, o Batkid é meu irmão caçula!
7. Tomando suco de ameixa num copo com canudinho
8. Pode ME chamar de Gorfo!
9. Como eu acidentalmente rasguei a calça, bati o joelho e feri meu ego
10. Minha avó engasgou com a dentadura e morreu! (Outra vez)
11. Atenção!! Cuidado com o vampiro esquisitão do armário!
12. O jogo do confinamento?
13. Socorro!! Acho que vou vomitar!
14. O rei da faxina arrebenta?!
15. Divagações de um maluco do armário
16. Quem disse que um zumbi não sabe fazer rap?!
17. Basta chutar!
18. Penetrei nas profundezas sombrias do... Onde eu estou?!
19. O senhor do labirinto
20. Será que servem pizza de pepperoni na cadeia?

21. Se eu conseguir chegar em casa vivo, meu pai vai me matar!

22. Como a "Cinderela" perdeu um ~~sapatinho de cristal~~ tênis

23. O ataque da privada assassina!

24. Azarado, coberto de lodo e fedorento

25. Por que tinha um menino no vestiário das meninas

26. O pior. Toque de celular. De todos os tempos!!

27. Faltam alguns parafusos?! Fala sério!!

28. Como encontrei o post-it fatídico

29. A assustadora desventura de um garoto nada comum!!

(Desculpem aí, caras! Foi mal!)

# 1. MINHA VIDA SECRETA DE SUPER-~~HERÓI~~ ZERO

Se eu tivesse SUPERPODERES, a vida no ensino fundamental II não seria uma DROGA.

Eu NUNCA mais perderia aquele ônibus idiota outra vez, porque simplesmente VOARIA para o colégio!...

*DEMAIS, né? Isso faria de MIM o cara mais MANEIRO do colégio!*

*Mas vou contar um segredo para você. Ser bombardeado por um passarinho feroz NÃO é maneiro. É simplesmente... NOJENTO!!*

*TV, revistas em quadrinhos e filmes fazem essa coisa toda de super-herói parecer fácil pra CARAMBA. Mas não É! Portanto, não acredite em PROPAGANDA ENGANOSA.*

Você NÃO descola superpoderes dando uma passada em um laboratório, misturando uns líquidos coloridos e brilhantes e simplesmente BEBENDO...

EU, PREPARANDO UM SABOROSO MILK-SHAKE DE SUPERPODERES

Ainda que eu TIVESSE superpoderes, a primeira pessoa que eu teria de socorrer seria...

# EU MESMO!

Por quê?

Porque um cara no colégio pregou uma PEÇA podre em mim.

E, infelizmente, eu posso estar MORTO quando você estiver lendo isso!

Isso mesmo, eu disse "MORTO".

Certo, admito que ele não tinha a INTENÇÃO de me matar.

Mas mesmo assim...!!

Então, se você é do tipo de pessoa que SURTA com essas coisas (ou com revistas em quadrinhos de suspense), é melhor nem ler o meu diário...

Hum... com licença, mas você AINDA está lendo?!

Certo, tudo bem! Vá em frente.

Só não diga que eu não avisei!

## 2. SE HOUVER UM CADÁVER DENTRO DO MEU ARMÁRIO, PROVAVELMENTE SOU EU!

Tudo começou como um dia normal, chato e SEM GRAÇA, na minha vida SEM GRAÇA e absurdamente chata.

Minha manhã foi um desastre, porque acordei atrasado. Depois disso ela seguiu ladeira abaixo.

Perdi completamente a noção do tempo no café da manhã enquanto lia uma revista em quadrinhos bem velha que meu pai tinha encontrado no sótão, uns dias atrás.

Ele contou que tinha ganhado de presente de aniversário do pai, quando era criança.

Ele também me disse para ter muito cuidado com ela e nem tirá-la de casa, porque era item de colecionador e provavelmente valia uma fortuna.

Meu pai estava levando a coisa toda muito a sério, pois já tinha até um horário agendado para avaliar a revista na loja especializada da cidade.

\* 8 \*

Mas, como eu estava atrasado para o colégio, resolvi ~~pegar escondido~~ levar a revista comigo para terminar a leitura na hora do almoço.

Tipo, o que poderia acontecer com ela por lá?!

De qualquer maneira, enquanto eu corria para o ponto de ônibus, o zíper da minha mochila quebrou e todas as minhas coisas caíram dela, incluindo a revista em quadrinhos do papai.

Eu fiquei, tipo: "Ah, mas que porcaria!! Meu pai vai ME ESTRANGULAR se eu estragar a revista dele!"

Agarrei a revista e estava tentando desesperadamente juntar tudo quando o ônibus chegou, cantando pneu ao frear, esperou por três segundos inteiros e então zumbiu com força outra vez.

# SEM MIM!

Ei, eu corri atrás daquela coisa como se ela fosse uma nota de cem ao vento!

* 9 *

# "PARE!! PARE!! PAAARE!", gritei.

Mas ele não parou.

O que significa que perdi o ônibus, tive que ir a pé para a escola e cheguei vinte minutos atrasado.

Então levei um esculacho da secretária do colégio. Ela me deu uma autorização para entrar e ameaçou me deixar de castigo depois da aula, porque eu a interrompi enquanto ela estava devorando um donut com recheio de geleia.

E, bem quando eu achei que as coisas não poderiam ficar AINDA pior do que já estavam, elas ficaram.

Quando parei no meu armário para pegar meus livros, o BICHO pegou de vez.

Foi aí que percebi que estava *VIVENDO* o meu pior...

* 10 *

# PESADELO!

*Eu sabia que frequentar um colégio novo ia ser difícil, mas isso aqui é INSANO.*

## A minha vida é NOJENTA!

*Sei que você deve estar pensando: "Cara, relaxa! Todo mundo tem um dia RUIM na escola.*

*Para de mimimi e SAI DESSA!"*

## SÉRIO?

## VOCÊ TÁ FALANDO SÉRIO?

*Tipo, COMO eu vou conseguir sair DESSA?!...*

Doug Thurston, mais conhecido como "Tora" Thurston, simplesmente ME ENFIOU DENTRO DO MEU ARMÁRIO OUTRA VEZ! E estamos apenas na segunda semana de aula.

Se ainda estamos nos DIVERTINDO? Parece que faz, tipo, uma eternidade que estou enfiado aqui dentro!!

E, infelizmente, estou sem meu celular para pedir ajuda! Eu saí com tanta pressa de manhã que esqueci o aparelho em cima da mesa.

Minhas pernas estão tão dormentes que provavelmente eu poderia cerrar meu dedão do pé com a minha régua de metal sem nem sentir nada. E eu contei que acabei de ter um ataque de asma? Se eu não carregasse minha bombinha de inalação sempre comigo no colégio, provavelmente já estaria morto!

Com certeza lá pela hora do almoço já vou ter morrido de falta de ar e por causa do fedor do uniforme de educação física no armário ao lado.

O que é irônico de se pensar, já que eu deveria ter morrido DURANTE o almoço na primeira vez em que comi

* 17 *

aquele LODO DE ESGOTO que fingem que é comida no refeitório!

~~Como se ESSA TORTURA toda não fosse suficiente, preciso fazer XIXI! Muito mesmo!~~

Preciso dar um jeito de sair deste armário idiota.

Sorte que eu trouxe o meu chaveiro lanterna. Senão estaria o maior breu aqui.

A ÚNICA razão pela qual estou escrevendo tudo isso no meu diário é porque temo que um dia Tora Thurston me tranque no meu armário e eu NUNCA mais consiga sair.

Então bolei um plano genial.

Quando a polícia vier investigar meu misterioso desaparecimento, a PRIMEIRA coisa que vão achar no meu armá~~rio (depois do meu CORPO~~ EM ~~AVANÇADO ESTADO DE DECOMPOSIÇÃO)~~ vai ser este diário!...

\* 18 \*

EU, DEPOIS DE TER SIDO ENCONTRADO DENTRO DO ARMÁRIO COM MEU DIÁRIO!

Chamo meu diário de DESVENTURAS DE UM GAROTO NADA COMUM, e trata-se basicamente de um resumo muito detalhado de ~~todo tipo de PORCARIA com a qual já tive de lidar!~~ todas as minhas experiências neste colégio.

Como existe uma possibilidade de eu NÃO CONSEGUIR sair vivo do meu armário, coloquei provas suficientes nestas páginas para mandar Tora Thurston para a CADEIA!

Pelo resto DA VIDA!

Ou pelo menos para ficar de castigo todos os dias depois da aula até se formar ~~ou largar a escola, o que acontecer primeiro!~~

Ei, NÃO estou tentando salvar o mundo ou ser um herói, nada disso, portanto não distorça as coisas.

Mas, se posso evitar que o que aconteceu COMIGO aconteça com VOCÊ ou outro garoto, então cada segundo que passei sofrendo dentro do meu armário terá valido a pena.

\* 20 \*

# 3. COMO O DARTH VADER VIROU MEU PAI

Sei que tem gente que deve estar pensando...

"Esse cara existe? Ele está mesmo escrevendo isso tudo DENTRO do ARMÁRIO dele?"

Eu entendo e aprecio a sua desconfiança.

Eu TAMBÉM não estou CONSEGUINDO acreditar que tudo isso esteja mesmo acontecendo comigo! Acho que eu deveria me apresentar primeiro.

Meu nome é Maxwell Crumbly, e estou no oitavo ano, no Colégio de Ensino Fundamental II South Ridge.

Mas a maioria do pessoal aqui me chama de ~~Gorfo, depois que eu vomitei mingau de aveia na aula de educação física~~ Max.

E SIM! Eu mesmo fiz todos esses desenhos.

Saca só a minha atual situação...

* 21 *

Na verdade, esse provavelmente não é meu melhor autorretrato. Me deixa tentar outra vez.

Certo, este aqui está bem melhor...

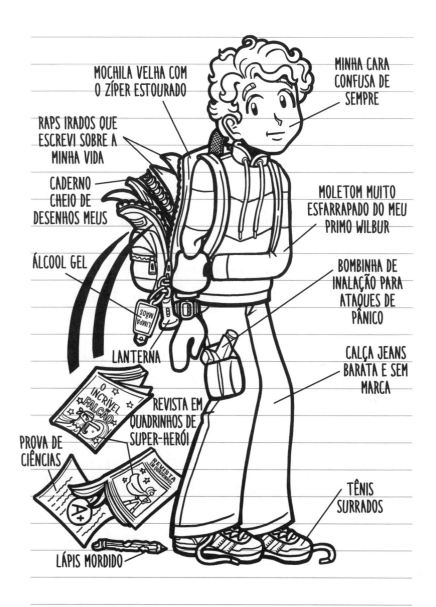

*23*

Tenho que admitir, ainda estou tentando me encaixar nesse lance novo de escola pública.

Quando eu era mais novo, tinha sérios ataques de asma e pânico, e uma das coisas que causavam isso era o estresse.

Então, por motivos de saúde, meus pais decidiram, oito anos atrás, que minha AVÓ me daria aulas em casa.

Mas essa nem é a parte mais ASSUSTADORA. Ela é professora aposentada do jardim de infância!!

Todas as sonecas, copos de canudinho e livros de historinhas que tive de aguentar no sétimo ano foram simplesmente... ERRADOS!

Se eu fosse obrigado a comer mais um biscoito em formato de bicho, juro que ia vomitar um ZOOLÓGICO inteiro!

Desculpa, mas simplesmente é humilhação demais para um garoto só.

~~Então elaborei um plano secreto para ligar para o conselho tutelar e denunciar minha avó por maus-tratos!~~

\* 24 \*

Provavelmente o dia mais feliz da minha vida foi quando meus pais FINALMENTE concordaram em me deixar ir para o Colégio South Ridge.

Como já estou bem mais velho e tomando uma medicação nova, meu médico disse que devo ficar bem.

O único problema é que, se meus pais descobrirem que estou tendo qualquer tipo de problema no meu novo colégio que possa me deixar estressad~~o, serei obrigado~~ ~~a voltar para a minha avó, os copos de canudinho e as~~ ~~sonecas até o fim do ensino médio~~! eles vão me tirar daqui tão rápido que vou ficar até zonzo.

Por isso eu precisava muito resolver esse problema com o Tora Thurston. E RÁPIDO!!!

Mas é meio complicado porque ele é grande feito um boi e meio que fede como um também.

Eu sento bem atrás dele na aula de matemática, e tem dias que é difícil até respirar. Então eu simplesmente tampo o nariz e resmungo comigo mesmo...

* 25 *

Lembra que falei que tenho uma bombinha de inalação? Ela solta uma boa dose de remédio para me ajudar a respirar.

Bom, só que essa coisa é totalmente INÚTIL contra o TORA!

Vasculhei nossa garagem até encontrar a máscara de proteção do meu pai (seu passatempo é pintar carros). E agora eu a uso durante a aula por "motivos de saúde" sempre que o Tora está FEDENDO AZEDO...

← EU, COM A MÁSCARA DE PROTEÇÃO DO MEU PAI NA SALA DE AULA

O mais estranho é que o Tora é muito legal comigo nos dias em que apareço com a máscara.

## POR QUÊ?

Porque ele pensa que eu sou filho do Darth Vader! Juro. NÃO estou mentindo.

Ele me contou que, quando crescer, quer ir para a faculdade para virar um Lorde Sith como meu PAI. Ele disse ainda que já conseguiu guardar mais de 3,94 dólares para comprar uma capa preta, uma máscara e um sabre de luz vermelho.

Isso definitivamente é MUITO LOUCO, né? Mas faz sentido se levarmos em consideração o fato de que o Tora já repetiu o oitavo ano, tipo, TRÊS vezes!

Quase caí da cadeira quando ele convidou ~~O FILHO DO DARTH VADER~~ a MIM para uma partida de videogame e uma rodada de pizza na casa dele.

Mas achei melhor NÃO ir, porque em algum momento eu teria de tirar minha máscara para devorar umas fatias de pizza.

* 28 *

Quando o Tora FINALMENTE descobrir que eu NÃO SOU filho do Darth Vader, ele vai dar tanto soco na minha cara que ela vai virar uma pasta disforme.

Se eu aguentasse usar aquela máscara o dia inteiro, aposto que o Tora e eu acabaríamos nos tornando MELHORES AMIGOS! ...

TORA E EU, ANDANDO JUNTOS!

Por falar em melhores amigos, posso contar o número de amigos que tenho ~~em uma mão~~ usando um único dedo.

Algumas semanas atrás, conheci um cara no Pets e Coisas, mas ele estuda no Colégio Westchester Country Day. Eu estava por lá comprando ração com o yorkshire malucão da minha avó, o Profiterole, quando a bolinha de pelo começou latir ferozmente (estou sendo sarcástico) e pulou do meu colo para "atacar" um cara que estava passando.

"Opa! Calminha aí, assassino!", ele riu. Então enfiou a mão no bolso e tirou um petisco para cachorro, depois se ajoelhou e ofereceu. "Sou seu amigo! Tá vendo só?"

O Profiterole parou de latir e, depois de cheirar a mão do estranho, aceitou alegremente o petisco, abanando o rabo, para logo em seguida dar até uma lambida na cara do sujeito.

"Cara! Ele é melhor com você do que é comigo, isso porque dou comida e recolho seu cocô há cinco anos!", exclamei.

* 30 *

"Yorkshires são meio esquentadinhos mesmo. Mas ficam mansos depois que fazem amizade", ele explicou.

"Então você é como o Encantador de Cães. Onde aprendeu a lidar com cachorros?", perguntei.

"Na verdade, passo tempo demais com eles", ele riu. "Sou voluntário na ONG Amigos Peludos."

"Não sou adestrador nem nada, mas consigo dar um banho no Profiterole sem matá-lo afogado!", brinquei. "A Amigos Peludos não está precisando de gente para dar banho em cachorro?"

E foi assim que o Brandon e eu ficamos amigos. Ele é bem maneiro, e nos encontramos uma vez por semana na Amigos Peludos para ajudar a cuidar dos cachorros de lá.

E, ao contrário do Tora, o Brandon não anda comigo só porque pensa que meu pai é o Darth Vader.

E o que podemos dizer sobre isso? Algumas pessoas bebem na fonte da sabedoria, enquanto outras (como o Tora) simplesmente fazem gargarejo e cospem!

* 31 *

# 4. ARRUMEM UMA FRALDA! RÁPIDO!

Maldição! Preciso muito, muito fazer XIXI!

Eu sei! Você deve estar pensando: "CARA! ESSA INFORMAÇÃO É DESNECESSÁRIA!"

Mas, por algum motivo, eu sempre preciso ir ao banheiro quando fico muito nervoso ou surto com alguma coisa.

Minha incontinência urinária já ARRUINOU completamente a minha vida mais de uma vez.

Como quando QUASE cheguei em primeiro lugar nos cem metros rasos no Dia do Esporte do colégio, na semana passada.

Não vou mentir. Ter sido convocado para zagueiro do time de futebol e andar com os caras populares teria mudado completamente minha vida.

Mas, infelizmente, bem no final da corrida, eu de repente tive que fazer um pequeno... humm, DESVIO...

* 32 *

Outra vez foi quando eu estava no quinto ano prestes a vencer o campeonato estadual de soletração...

*Meu probleminha já arruinou a minha fama de BALADEIRO com as meninas!!...*

Isso mesmo! Fui DESCONVIDADO para a única festa para a qual eu tinha sido convidado em TODA a minha vida.

Bem PATÉTICO, né?!

Mas a minha mãe é enfermeira, e ela disse que eu não preciso me preocupar com a minha bexiga socialmente disfuncional.

Ela disse que a minha reação é muito comum e que faz parte da resposta automática de lutar ou fugir, característica tanto de seres humanos quanto de animais para se protegerem.

Às vezes eles esvaziam a bexiga (e até o intestino) para ficarem mais leves e poderem LUTAR contra seus inimigos ou FUGIR deles.

O que me fez pensar sobre a MINHA situação. Talvez, se eu tivesse usado meu instinto natural de lutar ou fugir, eu não estaria PRESO dentro do meu armário.

Quer dizer, e se as coisas tivessem acontecido de outro jeito? Tipo, DESSE jeito...

* 36 *

Aposto que o Tora iria ficar com tanto medo de mim que NUNCA mais me importunaria!!

Ele até pararia de fazer bullying com os outros garotos, pois teria medo de que eu descobrisse ~~e fizesse~~ xixi ~~nele outra vez~~! O COLOCASSE PARA CORRER igual da última vez!

Eu seria um HERÓI no South Ridge, e todos iriam querer virar meu amigo e andar comigo.

ISSO ia ser DEMAIS!!

Certo, tudo bem. QUEM eu estou querendo enganar?!

Provavelmente eu ficaria conhecido no colégio como o aluno novo ESQUISITO que fez XIXI no Tora Thurston!

ISSO sim ia me ajudar a conquistar um LUGAR DE RESPEITO.

# SÓ QUE NÃO!

# 5. POR QUE ENFIEI O PÉ NO BALDE DE PIPOCA DA MINHA IRMÃ

*Eu tenho uma coleção enorme de revistas em quadrinhos de super-heróis, e ainda escrevo e desenho algumas.*

*Não vou MENTIR. Levo essa coisa MUITO a sério.*

*Fiz uma tonelada de pesquisas para descobrir o que seria preciso para virar um super-herói de verdade, e é extremamente complicado e bem intenso.*

*Tipo, essa coisa toda de superpoder.*

*Infelizmente, a minha excepcional habilidade, quase sobre-humana, de sentir cheiro de pizza a um quarteirão de distância não vai salvar vida nenhuma.*

*E meus DEDOS dos pés biarticulados, ultralongos, que mais parecem garras, herdados do meu pai, não vão me ajudar a deter um criminoso em ação. Embora dedões esquisitos possam ter valor inestimável para um aspirante a super-herói-em-treinamento vasculhar as coisas por comida. COMO?*

\* 44 \*

Eu simplesmente enfio meus dedos-garras na bacia de pipoca da minha irmã mais velha, Megan, e pergunto inocentemente...

EU, PROCURANDO COMIDA COM MEUS DEDOS-GARRAS SOBRE-HUMANOS (ENQUANTO TRAUMATIZO A MINHA IRMÃ)!

Isso daria TANTO nojo que ela iria estremecer, revirar os olhos e sair pisando duro da sala para telefonar para sua "BFF" e reclamar sobre como ela ME ODEIA!

Deixando assim a tal bacia de pipoca com manteiga quentinha e intocada só para MIM. HUMMM!!

Outra grande dor de cabeça é arrumar uma fantasia de super-herói muito maneira que faça aqueles vilões malvados tremerem nas bases só de te ver...

## **FANTASIA DE SUPER-HERÓI: CONTRAS**

1. NÃO compre uma daquelas fantasias infantis baratas que você encontra em liquidação na loja de um 1,99 do seu bairro, uma semana depois do Halloween.

Ninguém vai te levar a sério como Superfantasma se você estiver vestindo uma tolha de mesa de plástico branco com olhos verdes imensos e um adesivo vermelho de "QUEIMA TOTAL! ATÉ O FIM DO ESTOQUE!" colado no peito.

* 46 *

2. Não deixe a sua MÃE fazer uma fantasia "superfofa" para você. Principalmente se tiver glitter, penas, pedraria, mais glitter, lantejoulas cor-de-rosa, mais um pouco de glitter e/ou botas de salto plataforma.

Também SE RECUSE, terminantemente, a permitir que ela chame você de Superglitter, porque a fantasia que ela fez é "muito DIVA"!

3. NÃO recicle uma de suas fantasias de Halloween VELHAS e cafonas. NUNCA! Lembre sempre! Reciclar é para latinhas e garrafas pet. Não para fantasias de super-heróis.

Infelizmente, aprendi a regra número 3 do pior jeito.

Minha avó passou dois meses costurando uma fantasia original de um herói icônico adorado por ela e por milhões de fãs no mundo todo em 1964. Ele era famoso por executar movimentos sobre-humanos nunca antes vistos.

AINDA tenho pesadelos muito traumáticos por causa daquela fantasia...

\* 47 \*

EU, COM A MINHA FANTASIA RECICLADA DE ELVIS SUPER-HERÓI, ARREBENTANDO COM O MEU PODEROSO MICROFONE DA DESTRUIÇÃO!!

AVISO!! Nunca se esqueça de que super-heróis são SUPERSENSÍVEIS quando o assunto é fantasia.

Você faz ideia de quantas pessoas MORRERAM depois de MENOSPREZAREM uma fantasia de super-herói?!

Aproximadamente sete civis e dezenove vilões.

O Homem-Eletroestática lançou um raio de dez mil watts contra a própria mãe depois que ela, sem querer, chamou a calça protetora ultrafina de náilon que ele usava de...

# MEIA-CALÇA!!

Claro que todos os membros do mundo dos super-heróis ficaram chocados, horrorizados e se sentiram insultados quando ficaram sabendo o que aconteceu.

Esse ato desprezível foi cruel e muito, muito desrespeitoso.

A parte boa é que a MÃE do Homem-Eletroestática NUNCA mais vai cometer ESSE erro estúpido outra vez!

* 49 *

# 6. SIM, O BATKID É MEU IRMÃO CAÇULA!

*Tá bom. Eu amo a minha avó tanto quanto o próximo.*

*Mas estou desesperado para que esse lance todo de escola pública dê certo! O NÍVEL do meu desespero?*

*Estou desesperado a ponto de ter vendido uma parte da minha coleção de revistas em quadrinhos de valor inestimável para comprar umas roupas novas para o primeiro dia de aula.*

*Ouvi dizer que, no fundamental II, a IMAGEM é tudo!*

*Então resolvi que eu ia ser o cara mais MANEIRO, ESTILOSO, DESCOLADO, ANIMAL (e todas aquelas outras gírias que nem vão estar mais em uso quando você ler isto) do colégio!*

*Não me leve a mal! NÃO FOI uma transformação total. Foi mais como uma atualização de software para me deixar MELHOR!*

*Conheça o MAXWELL CRUMBLY 2.0! REMIX!! ...*

\* 50 \*

_Você NÃO FAZ IDEIA de como é difícil ser um lançador de tendências em uma família NADA DESCOLADA como a minha. Em primeiro lugar, minha irmã malvada ficou pegando a minha viseira e meus óculos escuros..._

Depois a minha MÃE pegou a minha corrente dourada para ir ao aniversário da melhor amiga...

*Depois houve um pequeno problema com o meu pai...*

Tudo bem. Eu SEI que a minha calça nova era cinco números MAIOR.

Mas ela DEVE ficar bem folgada mesmo!

Eu fiquei, tipo: "Pai, você tá de brincadeira, né?!"

Pai e filho dividindo calça?!

Desculpa aí! Mas é simplesmente... ERRADO em muitos níveis!

A gota-d´água foi o meu irmão caçula, Oliver.

Economizei a minha mesada um ano inteiro e finalmente consegui comprar um TÊNIS AIR JORDAN!

Fiquei ~~COMPLETAMENTE MALUCO~~ muito bravo quando o pirralho riscou meus tênis com canetinha!!!

Pelo jeito, o Oliver está começando a aprender as letras do alfabeto. Mas obviamente ele ainda não leva jeito pra coisa...

\* 55 \*

MEUS TÊNIS ZOADOS

É impressão minha, ou todas aquelas caretas que o Oliver desenhou nos meus tênis são sinal de algum problema emocional oculto que vai se manifestar na adolescência?

Acho que o nosso pastor também ficou meio preocupado com ele. Assim como eu, Oliver também está nessa de super-herói. Mas ele tem levado a coisa MUITO MAIS a sério do que eu!...

"E ENTÃO, TEMOS ALGUM VISITANTE HOJE? HUM... MUITO BEM, VEJO QUE TEMOS UM...!"

Claro que todos os garotos (e alguns pais) ficaram muito empolgados quando viram o que imaginaram ser um super-herói de verdade sentado na primeira fileira.

Então, quando o culto terminou, havia uma fila de fãs querendo tirar selfies com o Oliver.

Foi mal, mas NÃO é fácil ser irmão do BATKID!

De qualquer forma, quando estava chegando o primeiro dia de aula, eu já não estava mais a fim de usar aquelas roupas novas.

E agora a culpa é minha? Minha família tinha tirado todo o lado MANEIRO do meu estilo de volta às aulas. E ACABADO completamente com ele!

Fiquei tão FRUSTRADO com a situação toda que a joguei em uma daquelas caixas para doação.

"ELA" significa as minhas roupas!

Não a minha família!...

EU, DOANDO AS MINHAS ROUPAS PARA OS NECESSITADOS

Para ser sincero, eu estava tão FULO com a minha família que pensei seriamente em JOGAR TODOS ELES dentro daquela caixa de roupas também...

EU, DOANDO A MINHA FAMÍLIA PRA QUEM QUISER PEGAR!

Quem sabe um dia eu tente adotar o estilo hip-hop outra vez.

Mas com certeza vai ser DEPOIS que eu tiver colocado um cadeado na porta do meu quarto.

Ei, eu amo a minha família tanto quanto o próximo.

E por "amor" me refiro aos 49% do tempo quando NÃO ESTOU com vontade de dar um soco na cara de cada um deles.

Mas não me leve a mal!

Só NÃO estou a fim de dividir minhas calças e minhas coisas com eles.

Foi mal, é que é muito... ESQUISITO!!

## 7. TOMANDO SUCO DE AMEIXA NUM COPO COM CANUDINHO

Eu tinha esquecido completamente que havia doado minha roupa nova de ir à escola. E, quase uma semana depois, minha mãe me fez levar o Oliver até o parque para brincar.

Enquanto ele estava se divertindo, resolvi descolar um banco para ler minha nova revista em quadrinhos.

SURTEI totalmente quando vi um senhor se refrescando com um copo de suco de ameixa. Porque, adivinha só o que ele estava vestindo?

**A minha roupa de marca nova de ir para o colégio!!**

Aquele cara parecia um Eminem de oitenta e três anos de idade.

Acho que os pombos também estavam um pouco surpresos, pois havia uma meia dúzia deles rodeando e olhando para o cara como se ele fosse um alpiste gigante ou alguma coisa assim...

* 62 *

EU E OS POMBOS, SURPRESOS AO VER UM CARA IDOSO USANDO A MINHA ROUPA NOVA DE IR PARA O COLÉGIO!

Apesar de tudo isso ter sido meio traumático para mim, também foi meio inspirador. Eu me senti bem vendo alguém que parecia feliz por estar usando minhas roupas do colégio. Bom, alguém que não era membro da minha PRÓPRIA família!

Quando cheguei em casa, escrevi um rap muito legal sobre como seria se eu fosse um rapper velhão. Acho que foi a MELHOR coisa que já escrevi...

\* \* \* \* \* \* \* \* \* \* \* \* \* \* \* \* \* \* \* \* \* \* \* \* \*

## TOMANDO SUCO DE AMEIXA NUM COPO COM CANUDINHO (DO RAPPER SUPERMANEIRÃO MAX C., VEIÃO)

Max C.! Max C.!
Vamos botar pra ferver.
O melhor rapper do mundo
é o véio Max C.!

Solto rima e som do bom
tô batendo um bolão!
Disse o quê? Disse o quê, meu irmão?
Tô ruim de audição!

\* 64 \*

Quando me arrebento numa festa,
o povo leva a mão à testa.
Mas comigo não tem moda
quando chego na cadeira de rodas.

Saca só minha dentadura
Dá pra comer até rapadura.
Tem uns dentes de ouro treta
mas é tudo picareta.

Se quiser saber a real,
não escute um mentiroso.
Eu NÃO sou do Racionais,
mas também sou glorioso.

Os manos morrem de inveja,
mas não tô nem aí, colega.
Escuta só, meu irmão...!
Ihh! Sei não. Esqueci...!

Agora bengalas para o alto,
pois vou dizer a verdade:
De fralda todos estamos,
mas é coisa da idade.

Vamô cair no bingo
até o último pingo.
Quem for MAU pode GRITAR.
"EI! VÊ SE PARA DE BABAR!!"

Além do juízo,
não tenho nada a perder.
Com meu sapato de velcro,
eu danço até doer!

Quem tiver doidão
vem pro meio do salão!
Já sacudi tanto na valsa
que borrei até a calça!

Tava tomando meu suquinho
num copo de canudinho, e ...êpa!
Ajuda aí, meu irmão!
Levei o maior tombão.

Max C.! Max C.!
Vamos botar pra ferver.
Quem quer ser maneirão
igual o Max C., Veião?

* 66 *

\* \* \* \* \* \* \* \* \* \* \* \* \* \* \* \* \* \* \* \* \* \* \* \* \* \*

*Ei, eu não quero me achar nem nada, mas esse rap é bem MANEIRO!*

*Cá entre nós, eu bem que poderia ter uma longa carreira de sucesso como rapper que talvez durasse até meus oitenta anos.*

*E eu ganharia a maior BOLADA!!*

## *SEM ZOEIRA!!*

# 8. PODE ME CHAMAR DE GORFO!

*Não faço a menor ideia do motivo de Tora Thurston me ODIAR tanto.*

*NUNCA fiz nada para ele.*

*Não de propósito, pelo menos.*

*Mas acho que teve aquele pequeno acidente na aula de educação física.*

*Aquele que me rendeu o apelido de GORFO.*

*Ei, não é para rir. Na hora foi muito assustador.*

*Estávamos na aula de educação física, escalando uma corda. Eu tinha que subir por uma de dez metros até o teto do ginásio, tocar o sino e descer.*

*Tudo isso em sessenta segundos.*

*Eu estava muito nervoso porque ODEIO altura...*

Não acreditei quando vi que só tinha conseguido subir uns setenta centímetros daquela corda idiota. Pareceu que tinha sido um quilômetro.

Acho que eu não precisava da escada.

Mas depois me senti tão zonzo e enjoado que acabei VOMITANDO meu mingau de aveia! Bem no meio da quadra...

## NO PÉ DO TORA THURSTON!!!

A coisa toda foi surreal.

O cara ficou tão irado que quase dava para ver uma fumaça saindo das suas orelhas, igual um personagem de desenho animado ou alguma coisa assim.

Nosso professor balançou a cabeça com nojo e foi chamar o zelador para limpar a sujeira que eu tinha feito.

Foi quando o Tora veio pra cima de mim, chegando tão perto que pude sentir seu BAFO de sanduíche de abobrinha, mostarda e ovo que ele devia ter comido no café da manhã.

Juro!! Fedia tanto que quase vomitei OUTRA VEZ!

No OUTRO pé dele!! SÉRIO!!

Então ele berrou: "Ei, PUNK! Eu devia arrancar sua cabeça, sair batendo ela no chão e ..."

Ele fez um gesto como se estivesse fazendo um arremesso de basquete.

"VUMM!! O que você acha, GORFO?!"

Eu NÃO gostei de ouvir aquele cara me desrespeitando daquele jeito na frente da turma inteira de educação física e ainda me chamando daquilo.

Ei, cara! Meu nome é Max Crumbly!

Mas, por questões de saúde, achei que seria uma boa ideia passar a atender também pelo apelido de Gorfo.

"O que eu acho de VOCÊ arrancar a minha cabeça e jogar basquete com ela? Na verdade, hummm... sou meio apegado à minha cabeça. Por que você não

* 72 *

arranca alguma outra parte?", respondi de um jeito nervoso...

TORA, ARRANCANDO A MINHA CABEÇA E JOGANDO BASQUETE COM ELA!!

Todo mundo começou a rir da resposta sarcástica que acabei dando sem querer.

O que, é claro, deixou o Tora ainda MAIS bravo comigo.

Era isto o que eu queria ter dito para ele...

"Cara! Relaxa! O vômito no seu pé é o MENOR dos seus problemas. Você anda se olhando no espelho? Essa acne toda é tão FEIA que parece que a sua cara pegou fogo e alguém tentou apagar com um garfo!!"

Mas, como sou da paz e extremamente alérgico a surras, achei melhor pedir desculpas pelo acidente e acalmar as coisas.

"Hum... d-desculpa, irmão! S-sério!", gaguejei.

"Você não parece tão arrependido!", o Tora berrou.

Então ele me pegou pelo colarinho e rosnou feito um pit bull bravo ou alguma coisa assim...

* 74 *

TORA, MUITO DOIDO DA VIDA PORQUE VOMITEI NO TÊNIS DELE!

Graças a Deus, o professor de educação física voltou bem na hora. Ele ficou nos encarando como se soubesse que algo estava prestes a acontecer.

O Tora sussurrou umas palavras nada legais e me empurrou para longe.

"THURSTON! Vá limpar o tênis! E por que estão todos parados aí, como se estivessem esperando o desfile passar ou algo assim? Três voltas ao redor da quadra! Agora!", o professor berrou feito um sargento do exército. "Vamos, pessoal! Acelerem! Rápido!"

Tá bom! Eu só queria saber uma coisa. Se eu já tinha vomitado um bocado de mingau, PORQUE o professor ainda queria que EU corresse três voltas ao redor da quadra?!

## QUE IDIOTA!!

Mas eu que não ia discutir com aquele cara. Por isso, engoli essa e comecei a correr com os outros.

Acho que o Tora passou a me ODIAR a partir do dia do fiasco do vômito do mingau. E agora, sempre que tem a chance, ele me caça como se eu fosse um animal e faz da minha vida um INFERNO.

Eu sei! Eu sei! Você deve estar pensando por que eu simplesmente não deduro o Tora para o diretor e acabo logo com isso? Ele levaria uma suspensão ou talvez até fosse expulso do colégio.

Para ser sincero, já pensei em fazer isso um milhão de vezes. Mas tenho medo de que o diretor conte para os meus pais e eles me tirem do colégio.

Mas tem um boato rolando por aí!...

Ontem, na hora do almoço, ouvi dizer que os pais do Tora estão se divorciando. E que talvez ele mude de cidade no fim do ano.

PÉSSIMA notícia para ELE! **BUÁ-BUÁ!**
ÓTIMA notícia para MIM! **UHUUUUU!**

Fiquei TÃO aliviado quando soube que talvez o Tora se mude que até fiz a minha DANCINHA DA VITÓRIA!...

* 77 *

Então, do meu ponto de vista, eu basicamente tenho de sobreviver A...

UM ano no South Ridge com o Tora!

Ou CINCO ~~muito longos e agonizantes~~ anos estudando em casa com a minha avó!

Ei! Pode falar que eu gosto de apanhar do cara espinhenta, mas, entre um e outro, eu prefiro...

# O TORA!

Foi mal, vó.

## 9. COMO EU ACIDENTALMENTE RASGUEI A CALÇA, BATI O JOELHO E FERI MEU EGO

Certo. Se essa cena fizesse parte de uma das minhas revistas em quadrinhos preferidas, ela teria sido escrita assim...

*"Quando vimos nosso herói pela última vez, ele tinha sido preso nas escuras profundezas de seu armário, talvez por toda a eternidade, por seu arqui-inimigo, Tora Thurston. Porém nosso herói recorre à sua astúcia e consegue se comunicar telepaticamente com uma forma de vida alienígena, numa tentativa de pedir ajuda!"*

Quer dizer, socar desesperadamente a porta do armário, gritando feito uma criancinha assustada, NÃO FOI exatamente uma forma de comunicação telepática ou muito heroica. Mas e daí? Funcionou.

Através das frestas de ventilação da porta, vi uma garota assustada parando na hora. Então ela se aproximou lentamente e ficou encarando meu armário, sem entender nada...

\* 80 \*

A FABULOSA VISÃO DE DENTRO DO MEU ARMÁRIO!!

GraçasaDeus!Finalmenteosocorro!Mas,quandoreconheci QUEM era a garota, meu coração foi parar na meia.

Era a Erin Madison! A menina ~~mais linda~~ e inteligente do oitavo ano. Ela também era presidente do clube de computação~~e foi um dos principais motivos para eu querer entrar para o clube~~.

Tivemos um papo muito profundo na aula de ciências, na primeira semana de aula.

Eu estava entregando meu trabalho sobre os maiores dinossauros carnívoros (devoradores de carne) quando ela sorriu para mim e disse: "Uau! Você desenhou esses dinossauros? Você é um artista supertalentoso!"

Depois de verificar se ela não estava falando com alguém atrás de mim, soltei uma risada boba, dei de ombros e apenas a encarei.

Fiquei muito nervoso. Sei lá como, consegui tropeçar no cesto de lixo, cair, rasgar a calça, bater o joelho no chão e gritar: "AI! DROGA! ESSA DOEU!"

Claro que o Tora e a maioria dos outros caras da classe caíram na risada e me chamaram de PALHAÇO.

Eu me senti TÃO envergonhado e humilhado! Fiquei ~~com vontade de enfiar o cesto de lixo na cabeça, sair engatinhando da sala, ir até o banheiro mais próximo, me enfiar dentro do vaso e puxar a descarga.~~

"Ai, meu Deus! Você está bem?", a Erin perguntou enquanto me ajudava a levantar.

Mas eu só balancei a cabeça, tentando cobrir o rasgo no fundo da minha calça ~~(que estava exibindo o logo da minha cueca oficial vintage do Super-Homem, que comprei no eBay achando que um dia valeria uma fortuna)~~ com o livro de ciências, e saí mancando o mais rápido que deu por causa da torção no joelho.

Sim! Eu fiz um enorme papel de BOBO!

Por isso fiquei surpreso quando a Erin parou para falar comigo alguns dias depois. Estava tudo indo muito bem! Nos primeiros quinze segundos...

* 83 *

*Não pude acreditar quando o Tora simplesmente apareceu do nada e me empurrou daquele jeito.*

*Deixei cair o meu fichário de ciências e as folhas saíram voando por toda parte!*

*A Erin estava prestes a dar uma bronca no Tora, mas ele pediu desculpa e fingiu que tudo não tinha passado de um grande acidente.*

*E olha isso! Ele ainda disse que tinha amado a camiseta dela e que magenta era sua cor preferida.*

# ÃHÃ, SEI!
Aquele cara não sabe nem SOLETRAR "magenta"!

Assistir ao Tora tentando dar em cima da Erin daquele jeito foi muito irritante. Fiquei feliz quando ele finalmente resolveu cair fora.

De qualquer modo, a Erin se ofereceu para me ajudar a recolher minhas folhas esparramadas no chão. Só que isso me deixou SUPERnervoso...

* 86 *

Comecei a juntar as folhas o mais rápido que pude e guardei tudo dentro do meu fichário antes que a Erin visse um dos meus desenhos.

FALA SÉRIO! Eu ia literalmente MORRER DE VERGONHA se ela visse um que eu tinha feito no começo daquela semana, na hora do almoço.

Do que era?

Nada que seja da sua CONTA!!

OK. TÁ BOM! Vou contar! Eu tinha feito um desenho da... ERIN!!

E é claro que eu não queria que ela ~~soubes~~se pensasse que eu era um maluco que fica rondando por aí e fazendo desenhos das pessoas sem que elas percebam.

Comecei a suar frio e quase tive um ataque de pânico quando a Erin pegou a ÚLTIMA folha!

E era (adivinha só!)...

* 87 *

Enquanto a Erin dava outra olhada no desenho, mais que depressa eu ~~o arranquei~~ tirei da mão dela e enfiei de qualquer jeito dentro do fichário.

"Nossa! Você tem razão! Ela PODERIA ser sua irmã gêmea! Que estranha coincidência." Dei de ombros e fui logo tratando de mudar de assunto. "Obrigado pelo elogio. Eu gosto muito de desenhar, é meio que um hobby."

"Ei, você devia participar do nosso concurso de arte moderna! Vai ser no mês que vem, eu acho. Todos os colégios de ensino fundamental promovem um."

Na verdade, o Brandon tinha me sugerido a mesma coisa.

Ele disse que eu tinha um talento irado e que eu era "quase" tão bom quanto a amiga dele, a Nikki Maxwell, que estava participando do concurso de arte lá onde ele estuda.

Acho que o Brandon deve ser a fim da garota, porque ele falou dela o tempo TODO.

* 89 *

Então, se você quer saber, ele é TOTALMENTE tendenciosoquandosetratadequemé o melhor artista. Só tô comentando!

"Escuta, Max, eu sei que está meio em cima da hora, mas você estaria interessado em pintar um cenário para o teatro da escola? Vamos apresentar *A princesa do gelo*, e eu faço parte do elenco. Além de ser diretora e contrarregra. E, a menos que apareça alguém para ajudar, vou acabar tendo que fazer mais um montão de coisas. Talvez eu tenha que fazer parte da plateia também!", ela brincou.

"Pelo jeito você está atolada de trabalho!", comentei.

"Totalmente! A minha mãe e eu terminamos ontem a minha fantasia. E, se as coisas não melhorarem, nosso orientador disse que talvez a gente tenha que cancelar a peça deste ano!", a Erin comentou, parecendo meio frustrada.

"Cancelar?! Isso seria péssimo! Nunca fiz um cenário antes, mas parece divertido", falei.

* 90 *

"Ótimo! Então vou contar com a sua ajuda. O que acha de me encontrar no anfiteatro hoje, depois da aula? Vou levar todo o material de pintura."

"Legal! Não vejo a hora", eu sorri.

"Tá bom! Tchau, Max. E muito, muito obrigada pela ajuda!"

"Sem problemas! Eu que agradeço pelo convite. Tchau, Erin", falei enquanto a observava desaparecer pelo corredor.

Eu não podia acreditar que finalmente tinha feito a minha primeira amizade no South Ridge.

E com a Erin Madison!!

Se ISSO era LEGAL?!

Com um sorriso bobo no rosto, dei meia-volta, segui para a minha classe e...

BAM!

O Tora trombou em mim! DE NOVO!

* 91 *

*Só que dessa vez foi como bater em um muro. Um muro muito IDIOTA!!*

*Por que será que trombar com aquele cara de repente estava virando um PÉSSIMO hábito?!*

*"Sai do meu caminho, Gorfo!", ele cuspiu. "Você está tentando começar alguma coisa? Pois, se estiver, vou ficar feliz em te dar uma SURRA depois da aula. Logo depois que eu sair do castigo."*

*"Na verdade, To... Quero dizer, Doug, foi você quem trombou em MIM", expliquei.*

*"Espera um pouco. Você tá jogando a culpa em mim?!", o Tora berrou.*

*"Não, só estou tentando explicar..."*

*"CALA A BOCA, GORFO! Você pode explicar isso depois da aula. Para a minha MÃO!!"*

*Então ele me deu um empurrão e foi embora.*

\* 92 \*

Eu não fazia a ideia de onde tinha vindo toda aquela LOUCURA.

Mas foi bem esquisito o Tora ter ficado por perto durante TODO o tempo em que eu estava conversando com a Erin. De repente tive um clique! Talvez o Tora ~~também~~ GOSTASSE da Erin!!

TORA APAIXONADO!

Uma coisa era certa! Com ou sem o Tora, eu não tinha a menor intenção de dar um perdido na Erin depois de ter prometido ajudá-la.

Especialmente depois que ela me contou que a peça estava correndo o risco de ser cancelada.

# 10. MINHA AVÓ ENGASGOU COM A DENTADURA E MORREU! (OUTRA VEZ)

Tudo bem. Eu MENTI!

Eu não tinha a menor intenção de DAR UM PERDIDO na Erin, ATÉ ouvir, mais tarde, uns caras do time de futebol falando sobre "a grande briga que ia rolar depois da aula".

E ia ser entre o Tora e um moleque novo chamado MAX CRUMMY?!

# Que MARAVILHA!!

Num dia você é o INSETO, no outro é o para-brisa!

E, infelizmente, naquele dia eu era o INSETO!

Por mais que eu quisesse ajudar a Erin, sabia que teria de dar um jeito de não arrumar confusão com o Tora e correr o risco de os meus pais me tirarem do South Ridge.

Por isso não tive escolha a não ser contar para a Erin a ~~verdade~~ TRISTE NOTÍCIA!

Você sabe, AQUELA notícia...

Como eu poderia ficar depois da aula para ajudar com a peça se a minha avó tinha espirrado, engolido sem querer a dentadura e morrido engasgada?!

E eu precisava ir logo pra casa para ir ao VELÓRIO!

Mas, quando cheguei ao anfiteatro, vi através do vidro da porta que a Erin parecia meio na bad.

E ela não parava de olhar para o relógio.

Claro, eu estava alguns minutos atrasado.

Mas dá um tempo!

~~Eu não estava indo ajudar o Michelangelo a pintar a Capela Sistina nem nada~~!

\* 95 \*

ERIN, ME ESPERANDO APARECER?

A última coisa de que a Erin estava precisando era ~~levar um perdido meu porque eu estava morrendo de MEDO de encarar o Tora e ainda ouvir uma MENTIRA~~ de mais DRAMA na sua vida!

Com um AMIGO como eu, quem precisa de INIMIGO, certo?!

Então, em vez de lhe dar a desculpa esfarrapada de que minha avó tinha engasgado com a dentadura, resolvi ir para casa antes de o Tora me pegar.

Se eu me apressasse, conseguiria pegar o ônibus.

Eu sei! Você provavelmente está pensando: "Cara, não estou gostando muito de você. Na verdade, não gosto desde o começo!"

Concordo totalmente com você. Pois naquele momento eu também não estava gostando muito de mim.

Mas, no fim, eu NÃO CONSEGUI dar no pé e deixar a Erin na mão quando ela mais precisava de mim.

* 97 *

~~E sim. Eu TAMBÉM sabia que muito provavelmente~~ eu ~~não iria conseguir dar no pé MAIS TARDE depois que~~ o ~~Tora me pegasse e quebrasse as minhas duas pernas!~~

Bati no vidro da porta, sorri e acenei para a Erin.

A minha esperança era que, se o Tora viesse atrás de mim no anfiteatro, ele esqueceria totalmente a briga ao ver a Erin e tentaria impressioná-la, SE EXIBINDO todo com seu gosto esquisito por cores da moda.

A Erin exibiu um sorrisinho murcho conforme abria a porta.

"Obrigada por ter vindo, Max! Mas não vou mais precisar da sua ajuda. Pode ir embora", ela disse, soluçando e secando os olhos.

"Desculpa pelo atraso! Hummm, você está bem, Erin?"

"Sim, eu acho! É que acabei receber uma péssima notícia."

* 98 *

"Sério? O que aconteceu?", perguntei preocupado.

"Não quero falar sobre isso agora, tudo bem? Mas obrigada por ter vindo. A gente se vê por aí."

"Claro, Erin. Se tiver alguma coisa que eu possa fazer..."

"Não, não tem NADA. Só me deixe sozinha, por favor!"

## QUE FORA!!

"Hum, tudo bem." Dei de ombros. Em seguida, virei e fui embora.

Então era isso! A minha amizade com a Erin Madison só tinha durado meio dia.

Naquele momento só tive certeza de duas coisas.

Eu NÃO entendia as GAROTAS! DE JEITO NENHUM!

E tinha exatamente quarenta e oito segundos para colocar meu TRASEIRO no ônibus se quisesse chegar inteiro em casa!

* 99 *

# 11. ATENÇÃO!! CUIDADO COM O VAMPIRO ESQUISITÃO DO ARMÁRIO!

Fugi da Erin pelo resto da semana como se ela fosse uma doença contagiosa mortífera.

Não me leve a mal!

~~Não era como se eu AINDA estivesse a fim dela ou algo assim.~~

Não era como se eu tivesse CHEGADO a ficar interessado nela ou algo assim. Ei, eu MAL conheço a garota!!

Apesar de ter visto a Erin me observando umas duas vezes na aula ~~porque eu meio que estava encarando ELA~~.

Provavelmente foi impressão minha.

De qualquer modo, AGORA você sabe por que fiquei tão traumatizado quando percebi que, entre todas as pessoas, era a Erin que estava parada na frente do meu armário.

Infelizmente, eu estava prestes a me humilhar OUTRA VEZ!!

* 100 *

EU, ASSUSTANDO A ERIN SEM QUERER!

Enquanto ela estava parada na frente do meu armário, eu me encolhi contra a parede do fundo, fechei os olhos e prendi a respiração.

Eu poderia simplesmente fingir que NÃO ESTAVA ali e que NÃO TINHA gritado feito louco, pedindo ajuda, segundos antes.

Então quem sabe a Erin não acabaria pensando que tinha sido coisa da cabeça dela e iria embora.

"Olá?! Tem alguém aí dentro?", ela perguntou, preocupada.

Silêncio desconcertante.

A Erin olhou por cima do ombro, suspeitando de que aquilo fosse uma pegadinha para o site do colégio ou alguma coisa assim.

"Hum... alguém aí dentro acabou de pedir ajuda?"

Mais silêncio desconcertante. A Erin cruzou os braços e mordeu o lábio.

Eu quase podia ouvir as engrenagens do cérebro dela funcionando enquanto ela tentava entender o que estava acontecendo.

Ela olhou por cima do ombro para se certificar de que não tinha ninguém olhando e então ergueu lentamente o punho fechado.

# TOC-TOC!

Eu não podia ACREDITAR que a Erin tinha batido mesmo na porta do meu armário!

Infelizmente, soltei a primeira coisa que me passou pela cabeça e me arrependi no mesmo instante.

"Hum... QUEM ESTÁ AÍ?!"

A Erin pareceu muito surpresa por eu ter respondido.

Caramba, até eu fiquei surpreso de ter respondido.

"Sou eu, a Erin! Eu estava passando por aqui e... pera aí! Isso é algum tipo de pegadinha?", ela perguntou, bem brava.

* 103 *

"Não."

"Escuta aqui, estou com pressa, por isso não tenho tempo para ficar aqui parada conversando com um maluco dentro do armário. Se você curte esse tipo de coisa, problema seu! Só quero saber se está tudo bem, porque um minuto atrás você estava pedindo socorro."

Respirei fundo e limpei a garganta: "Hum... sim. Estou bem, eu acho. Só preciso muito sair daqui!"

"Certo, vou buscar ajuda! O diretor, um professor ou talvez o zelador. Alguém! Não saia daí até eu voltar, tá bom?"

"Tipo, AONDE é que eu poderia ir? Estou PRESO aqui. Lembra?"

"Desculpa! Só tô tentando ajudar..."

"Talvez eu possa te dar a minha senha. Contanto que você consiga abrir esta porta idiota, por mim tá ótimo!", resmunguei.

* 104 *

"Posso tentar. Mas eu me enrosco para abrir o meu PRÓPRIO armário", disse a Erin, enquanto girava algumas vezes a combinação do cadeado de segredo. "Muito bem! Qual é a senha?"

"38, 12, 7", respondi.

Ela ficou olhando para o cadeado, muito concentrada.

"38, 12, 7", ela repetiu.

Então...

# CLIQUE!

Prendi a respiração enquanto a Erin abria lentamente a porta do armário!

A luz forte do corredor invadiu o espaço, me cegando por um instante.

Pisquei e estreitei os olhos.

Mas a Erin piscou e arregalou os olhos, surpresa...

Corei de vergonha.

"Hum... você acreditaria que foi... sem querer?"

"Sem querer?! Mas COMO?"

"Bom, eu estava procurando o meu, humm... livro de matemática, e me inclinei para a frente e acabei caindo dentro do armário, e humm... não sei como foi que a porta fechou e eu acabei ficando preso. Foi exatamente isso que aconteceu. Mais ou menos..."

A Erin só ficou me encarando, desconfiada, como se eu tivesse uma meleca de dois quilos pendurada no nariz.

"Ah, é mesmo? Fala sério, Max! Você acha mesmo que eu acredito nisso?"

Então ela revirou tanto os olhos que pensei que fossem saltar das órbitas e sair rolando pelo corredor.

"Escuta aqui, não quero me meter na sua vida, mas, se alguém fez isso, você devia contar para a diretoria. Se NÃO é o caso, ficar trancado dentro do próprio armário

* 107 *

feito um vampiro... esquisitão... pode ser perigoso! Sugiro que você busque ajuda com um psiquiatra. E RÁPIDO! Ou pelo menos fale com o orientador do colégio ou com alguém. Agora eu preciso ir. Acho que esqueci uma coisa na biblioteca, e meus pais vão ter um chilique se eu não encontrar. Tchau."

Ela deu meia-volta e se apressou pelo corredor.

"Erin, espera! Eu, humm... só quero que você saiba que ainda estou disposto a te ajudar com a peça. Posso ficar depois da aula na semana que vem. E eu pinto muito rápido, então..."

Ela parou de repente e virou para me encarar.

"Obrigada, Max. Mas a peça... foi... humm... cancelada", ela respondeu e abaixou os olhos.

"Ah, eu não sabia! Sinto muito", murmurei, com vontade de dar um chute em mim mesmo.

"Fiz o possível. De qualquer forma, tem o ano que vem." Ela deu de ombros. "Acho que estou te devendo um pedido

* 108 *

de desculpas pelo modo como agi. Eu tinha acabado de receber a notícia do meu orientador e estava meio chateada. Mas, mesmo assim, isso não é desculpa."

"Não tem problema", eu sorri. "Eu só estava tentado ajudar."

Então nós só meio que ficamos ali parados olhando um para o outro, sem dizer nada.

# MUITOESTRANHO!!

Eu estava prestes a dizer que estava pensando seriamente em entrar para o clube de computação, quando a Erin finalmente quebrou o silêncio.

"Bom, se cuida! E não caia mais sem querer dentro de nenhum armário. Porque, cara, aquilo foi PRA LÁ DE ESQUISITO. A gente se vê."

Fiqueiobservandoenquantoelaseafastavapelocorredor.

A Erin tinha acabado de me chamar de...

\* 109 \*

# PRA LÁ DE ESQUISITO?!!

*Sim! Ela TINHA!*

*Tudo bem, então por que de repente tive vontade de voltar engatinhando para dentro do meu armário e fechar a porta?*

*Suspirei e peguei a minha mochila.*

*Quando olhei para o relógio perto da secretaria, fui tomado por uma nova sensação de medo, e meu estômago começou revirar.*

*Eu havia chegado vinte minutos atrasado ao colégio e tinha ficado trancado dentro do armário mais uns vinte minutos, o que significava que eu tinha perdido quase a primeira aula de matemática inteira.*

*Eu não tinha opção a não ser voltar para a secretaria e pedir uma SEGUNDA autorização.*

*Por estar ainda MAIS atrasado!...*

\* 110 \*

EU, PEGANDO MINHA SEGUNDA AUTORIZAÇÃO PARA ENTRAR ATRASADO!

E, como muito provavelmente eu já tinha perdido nosso teste de matemática, eu ainda ganharia um belo de um zero e uma advertência para os meus pais assinarem.

O que não era tão ruim quanto o fato de a Erin, a ÚNICA pessoa no colégio inteiro que tinha se dado o trabalho de falar comigo ao longo das últimas duas semanas (bom, além do Tora), achar que eu era algum tipo de VAMPIRO ESQUISITÃO DO ARMÁRIO.

Odeio admitir isso, mas talvez ela estivesse certa sobre falar com alguém a respeito do meu problema com o Tora Thurston.

E, como eu já estava mesmo na secretaria, poderia simplesmente faltar à aula de ciências e pedir para falar com a sra. Robinson, a orientadora do colégio.

Depois que eu explicasse o que tinha acontecido comigo nesta manhã, provavelmente ela iria justificar a minha falta e me daria uma autorização para fazer o teste de matemática.

Ia dar tudo certo!

*112*

ATÉ o Tora descobrir que eu tinha DEDURADO ele!!

E QUEBRAR OS MEUS DOIS BRAÇOS!

A última coisa de que eu precisava era que meus pais me tirassem do colégio e me colocassem para estudar em casa com a minha avó até o fim do ensino médio.

De repente, ter ficado trancado no armário parecia ser o MENOR dos meus problemas.

A primeira aula ainda nem tinha acabado!

E meu dia ~~já tinha ido PARA O ESGOTO~~! NÃO estava indo muito bem!

* 113 *

# 12. O JOGO DO CONFINAMENTO?

Para minha sorte, consegui fugir do Tora pelo RESTO do dia.

UFA!!

Então, quando o sinal finalmente tocou às três da tarde, resolvi que o melhor jeito de evitar trombar com ele depois da aula seria me escondendo no novo laboratório de computação por quinze minutos.

Nosso laboratório novinho em folha tinha sido aberto havia duas semanas, e já era meu lugar preferido.

Ali tinha aquele cheiro sinistro de computador novo que somente os nerds sabem apreciar de verdade.

Depois de três anos e uma dúzia de campanhas para arrecadação, o colégio finalmente conseguiu comprar o equivalente a cem mil dólares em equipamento.

Mas a melhor parte é que NUNCA vi o Tora por lá. NUNCA! Eu estava tranquilão e arrebentando no jogo Cavaleiros Valentes da Galáxia...

* 114 *

EU, JOGANDO EM UM DOS COMPUTADORES NOVOS DO LABORATÓRIO.

Por isso, quando meu relógio despertou às quatro da tarde, levei o maior susto quando me dei conta de que tinha passado uma hora jogando!

Tudo estava assustadoramente quieto e não havia ninguém por perto. Até o professor do laboratório já tinha vazado.

# FINALMENTE!

Agora era seguro escapar e ir para casa. Eu estava SUPERfeliz porque teríamos um fim de semana de três dias pela frente.

E a cereja do bolo era que eu não veria o Tora Thurston por setenta e duas horas inteiras!! U-HU!

Mas o mais importante era que eu estava aliviado por ter conseguido SOBREVIVER a mais uma SEMANA no colégio com o Tora.

E, acima de tudo, por ter conseguido ME LIVRAR de mais um ano estudando em casa com a minha avó. DEMAIS!! Certo?!

Sim! Max C. tinha mais uma vez conseguido vencer o Tora T.!

* 116 *

Fiz a minha dancinha da vitória....

Depois percorri todo o caminho até o meu armário no passinho moonwalk.

Eu estava assobiando uma das minhas músicas preferidas enquanto pegava as minhas coisas para um fim de semana relaxante, divertido e sem o Tora.

Se a cena a seguir estivesse em uma das minhas revistas em quadrinhos preferidas, ela teria sido descrita assim...

"Dá ultima vez em que vimos nosso herói anônimo, ele tinha usado seu QI extremamente alto e sua inteligência avançada para superar completamente seu arqui-inimigo, Tora Thurston.

Apesar de ter enfrentado uma semana inteira de batalha contra o rival, nosso corajoso campeão conseguiu proteger a vida, a liberdade e a busca pela felicidade de todas as pessoas do mundo.

No entanto, justamente quando nosso herói se preparava para voltar à sua base para relaxar e desfrutar um merecido descanso, ele nem imaginava

* 118 *

que uma presença sinistra se aproximava lentamente pelas suas costas e estava prestes a ATACAR!"

Era...

# O TORA THURSTON?!

# AH, DROGA!!

"Ei, Gorfol", berrou o Tora. "Estou contente que você tenha ficado de castigo depois da aula hoje. Porque agora você e eu podemos brincar do meu joguinho favorito!"

"É mesmo!", falei, recuando um ~~passo e esperando pela minha natural reação urinária de lutar ou fugir aparecer e me proteger do joguinho brutal do Tora que provavelmente acabaria resultando em uma MORTE muito lenta e dolorosa.~~

"Quer saber que JOGUINHO é esse?", ele zombou como se fosse uma versão do ensino fundamental daquele vilão maluco, o CHARADA ~~só que com calça de cós baixo e sérios problemas de acne.~~

"Hum... acho que não", respondi, esperando que ele dissesse algo engraçado e inofensivo como Pedra, Papel e Tesoura.

\* 120 \*

E, se eu estivesse com MUITA sorte, o Tora diria que gostava da brincadeira preferida do meu irmão mais novo, Lenço Atrás!

"Chama TRANCAR-UM-OTÁRIO-NO-ARMÁRIO! E o otário de hoje É VOCÊ!", o Tora zombou.

"Não parece muito engraçada", resmunguei.

"Bom, para MIM é ENGRAÇADA!!", ele sorriu feito um tubarão.

Foi quando comecei a pensar em algumas questões sérias e preocupantes.

ONDE estava a minha bexiga nervosa quando eu REALMENTE precisava muito, muito dela?!

E por que todos os outros seres humanos tinham sido agraciados com o instinto de sobrevivência de LUTAR OU FUGIR, enquanto eu tinha sido AMALDIÇOADO com, hummm...

# PÂNICO e XIXI?

* 121 *

Mais do que depressa, peguei minha mochila e tentei uma corrida maluca em direção à saída.

Mas o Tora me segurou pela camiseta, me ergueu do chão e me jogou dentro do meu armário!

E em seguida bateu a porta.

# BAM!!

"NÃÃÃOOO!!", gritei lá de dentro.

"Bom FIM DE SEMANA, GORFO!!", ele riu conforme seus passos ecoavam cada vez mais distantes pelo corredor.

Eu NÃO podia acreditar que tudo aquilo estava acontecendo OUTRA VEZ!!

Só que agora era dez vezes PIOR!

Todos os alunos e professores já tinham ido embora.

E, pelo jeito, a maioria dos outros funcionários também.

* 122 *

Meu coração disparou e eu comecei a suar frio!

O ar abafado e o cheiro de bolor dentro do meu armário estavam dificultando minha respiração.

## Mas eu não ia desistir!

# AINDA!!

## Foi mal, Tora!

# Mas o Max Crumbly não seria nocauteado sem lutar!

Reunindo todas as minhas forças, comecei a chutar a porta do armário e a gritar o mais alto possível quando caiu a ficha da minha dura realidade...

* 123 *

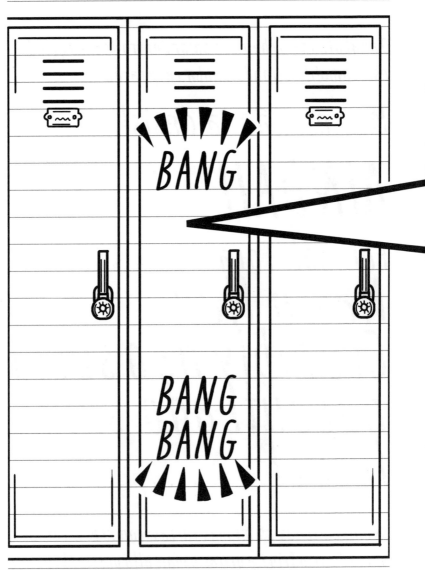

## 13. SOCORRO!! ACHO QUE VOU VOMITAR!

# DROGA! OUTRA VEZ NÃO!

# ISSO É INSANO!

Eu não podia acreditar que estava trancado pela SEGUNDA vez no mesmo dia!

Eu me senti envergonhado e humilhado. Mas, acima de tudo, fiquei FURIOSO! Fala sério, gente. QUEM não ficaria DOIDO DA VIDA se fosse obrigado a passar um fim de semana de três dias preso no COLÉGIO?!! Ainda por cima DENTRO do armário?!

Eu não tinha opção a não ser ficar espiando por entre aquelas frestas da porta e esperar ansiosamente até que alguém aparecesse.

Eu me convenci de que, se eu fosse MUITO, MUITO paciente, em algum momento alguém ia passar pelo corredor e me salvar.

Mas, infelizmente, não passou ninguém.

Então eu disse a mim mesmo que, apesar de ser fim de semana prolongado e a MAIORIA já ter ido embora, AINDA havia uma chance REMOTA de ALGUÉM ter ficado por lá depois da aula. E que este ALGUÉM poderia me socorrer.

Mas, para minha tristeza, ninguém que tinha ficado por lá depois da aula apareceu.

Foi quando reuni toda a minha coragem e valentia e enfrentei a situação extremamente complicada...

~~A minha bexiga nervosa estava entrando em ação novamente, e, se eu não saísse daquela DROGA de armário logo, ia fazer xixi na calça!~~

Minha vida estava completamente acabada, e eu ia ter uma MORTE solitária, dolorosa e sem sentido!

PRESO entre as quatro paredes de metal do meu armário. Exatamente como uma fedida e nojenta...

\* 127 \*

# SARDINHA... em LATA!!

EU, PRESO DENTRO DO MEU ARMÁRIO FEITO UMA SARDINHA!

Mas quer saber o que é ainda MAIS nojento?!

Minha avó adora misturar sardinha com cheddar e ketchup e passar na bolacha água e sal.

GLUP! Isso fui eu engolindo o vômito que veio parar na minha boca.

Depois do que pareceu, tipo, uma ETERNIDADE, meu relógio despertou às seis da tarde, e eu me dei conta de que estava preso ali havia quase DUAS. Horas. Inteiras.

Eu estava começando a... **PERDER AS ESPERANÇAS!**

Foi quando tive OUTRO ataque de pânico e usei minha bombinha de inalação pela segunda vez no dia.

Não preciso nem dizer que, depois DESSE pequeno episódio, fiquei ansioso, cansado e pingando suor.

Também me senti meio zonzo e enjoado.

Mas não me leve a mal!

*Uma combinação de estresse extremo, cansaço, calor e desidratação são suficientes para deixar até um super--herói ENJOADO!*

*COMO eu sei disso?*

*Porque a mesma coisa aconteceu com O INCRÍVEL FALCÃO (o personagem da série em quadrinhos que escrevo nas horas vagas).*

*Além de trabalhar meio período como um humilde guarda florestal, ser piloto de carro de corrida e estrela do rock, ele ainda conta com o incrível superpoder de se transformar em um falcão indestrutível apenas gritando: "BAH-KAAW!! BAH-KAAW!! BAH-KAAAAAAW!"*

*E saca só!*

*No volume 3, o Incrível Falcão vomitou duas lagartixas, três esquilos e onze ratos enquanto enfrentava seu arqui-inimigo, o ~~Tora~~ ABUTRE PEÇONHENTO, no deserto do Saara, sob um calor de quase cinquenta graus (que, acho, deve ser a temperatura dentro do meu armário)!!...*

\* 130 \*

O FALCÃO E O ABUTRE, LUTANDO NO DESERTO!!

* 131 *

O FALCÃO, PERDENDO SEU ALMOÇO!!

*Ei, essa cena foi NOJENTA.*

*Semdúvida,oIncrívelFalcãopoderiaterdadoogolpePÉ NA BUNDA de super-herói de cinema!! Certo?!*

*De qualquer forma, eu estava prestes a perder as esperanças ~~e vomitar~~ quando tive a impressão de ter escutado um barulho muito fraco...*

*NHÉC-NHÉC! NHÉC-NHÉC! NHÉC-NHÉC! NHÉC-NHÉC!*

*Espiei desesperado ATRAVÉS das frestas da porta e SURTEI de vez!*

*~~Eu NÃO conseguia acreditar no que eu estava vendo!~~ Eu NÃO conseguia acreditar naquilo que PENSEI que estava vendo!*

*Se você fica preso dentro de um lugar onde mal consegue VER ou OUVIR alguma coisa, depois de um tempo seu cérebro começa a reagir de um jeito estranho. Então a imaginação assume o controle e você acha que viu ou ouviu um TRECO MUITO ESTRANHO.*

* 133 *

*NHÉC-NHÉC! NHÉC-NHÉC!*

*Isso se chama PRIVAÇÃO SENSORIAL, meus amigos, e vou contar uma coisa... NÃO é nada engraçado.*

*Eu TAMBÉM estava meio preocupado que as minhas células cerebrais morressem de alguma doença rara e muito mortal como... humm...*

# ARMÁRIOSITE!!

*Ei, pare de rir. Isso poderia ter acontecido.*

*NHÉC-NHÉC!*

*NHÉC-NHÉC!*

*De qualquer modo, havia uma chance MUITO grande de a minha mente estar pregando uma peça em mim e de que tudo o que eu tinha acabado de ver e ouvir no corredor não passasse de mera ALUCINAÇÃO.*

*Uma peça muito CRUEL e MALVADA.*

\* 134 \*

# 14. O REI DA FAXINA ARREBENTA?!

*Se a minha vida fosse uma revista em quadrinhos, minha situação seria resumida assim....*

*"Dá última vez em que vimos nosso herói, ele estava preso entre as quatro impenetráveis paredes de seu armário, brutalmente aprisionado por seu arqui-inimigo, Tora Thurston, por três longos dias, ou muito possivelmente por toda a eternidade! Será que nosso corajoso herói vai conseguir sair vivo dessa? Ou será ele CONSUMIDO, como uma sardinha indefesa com cheddar e ketchup, pela MORTE IMPLACÁVEL?!"*

*Eu me encolhi de medo conforme uma figura sombria e meio fantasmagórica se aproximava lentamente do meu armário. E, apesar de até sua sombra ser imensa, ele fazia um estranho barulho agudo ~~e irritante, mas~~ vagamente familiar.*

*Eu não fazia a menor ideia de QUEM ou do que ERA aquilo. Quando sua sombra encobriu meu armário, eu prendi a respiração e dei uma espiada com todo o cuidado.*

*Foi quando eu vi...*

* 135 *

Como já era muito tarde, supus que ele estava terminando seu horário de trabalho e estava prestes a ir para casa.

Foi quando comecei a gritar feito doido. "SOCORRO!! SOCORRO!! POR FAVOR!! ESTOU PRESO DENTRO DO MEU ARMÁRIO E NÃO CONSIGO SAIR. É TIPO UMA EMERGÊNCIA! SOCOOOOORRO!"

O zelador parou, inclinou a cabeça para o lado e ficou olhando.

Ele parecia estar tentando descobrir de qual armário vinham os gritos de socorro.

# FINALMENTE! Vou ser resgatado!!

Fiquei TÃO feliz e TÃO aliviado que senti vontade de fazer minha dancinha da vitória ali mesmo dentro do armário. Nunca imaginei em um milhão de anos que o zelador do colégio acabaria salvando a minha vida.

Eu não conhecia o cara direito. Mas SABIA que ele tinha um trabalho muito difícil.

*Quer dizer, VOCÊ iria querer limpar vômito, desentupir privada, remover massa de papel higiênico do teto do banheiro, raspar chiclete debaixo das carteiras e fazer outras coisas muito nojentas?*

*TODOS OS DIAS, por trinta anos?*

*Para uma molecada barulhenta e chata do ensino fundamental?*

*Eu acho que não!*

*Não é de se estranhar que o cara andava sempre tão MAL-HUMORADO!!*

*Apesar dos meus problemas pessoais, de repente eu me senti GRATO por estar vivo. Mas, mais do que tudo, me senti ainda mais grato por não ter de limpar a sujeira de setecentos e cinquenta alunos FEDORENTOS do ensino fundamental!*

*"HUM... OBRIGADO! MUITO OBRIGADO!!", gritei de dentro do armário. "EU ESTAVA COMEÇANDO ACHAR QUE NUNCA IA CONSEGUIR SAIR DAQUI!"*

\* 138 \*

O zelador balançou a cabeça e então pegou o esfregão.

O QUÊ?! O cara ia tentar arrombar a porta do meu armário com o cabo do esfregão ou algo assim?!

"COM LICENÇA, MAS POSSO DAR MINHA SENHA PRA VOCÊ. ISSO SERIA BEM MAIS FÁCIL DO QUE USAR O ESFREGÃO!", falei.

Então ele fez a coisa mais estranha de todas.

Ele começou a...

# DANÇAR?!!

Olha, eu também estava muito feliz de poder sair do meu armário.

Mas não pude deixar de pensar...

CARA!! Vamos deixar a DANCINHA DA VITÓRIA pra DEPOIS que você me salvar? PODE SER?!

Então as coisas tomaram um rumo muito TRÁGICO!!

Finalmente percebi que o zelador estava usando...

# FONES DE OUVIDO?!!

"*NÃÃÃOOOOO!!! ELE NÃO CONSEGUE ME OUVIR!!*", berrei e chutei a porta do armário, frustrado.

O zelador não fazia a MENOR ideia de que eu estava a alguns centímetros dele.

Eu poderia ter enfiado a mão pelas frestas da porta e dado um SOCO nele (isto é, se eu tivesse, tipo, mãos bem pequenas)!

Graças à música MUITO alta que ele estava ouvindo, ia ser IMPOSSÍVEL chamar sua atenção.

A menos que eu ateasse FOGO ao meu livro de matemática na esperança de que ele notasse a FUMAÇA saindo do armário.

Não demorei muito para perceber que havia algo PIOR do que ficar preso dentro do armário...

* 140 *

Era ficar preso dentro do armário e ser OBRIGADO a ver o zelador do colégio dançando e cantando fora do ritmo.

Desculpa, mas o cara era tão ruim que não servia nem para cantor de chuveiro.

Mas, uma vez que eu era audiência cativa, tudo o que eu podia fazer era me encolher enquanto ele cantava e tocava air guitar com o cabo do esfregão.

Foi surreal!

Ele parecia uma estrela geriátrica do rock delirando em sua turnê de despedida...

# O REI DA FAXINA ARREBENTA!!

Então, bem no meio da música, ele tocou um solo de air guitar superintenso, que durou três minutos.

Em seguida saiu pulando pelo corredor como se fosse um coelho bombado de quase oitenta quilos...

E, como *gran finale*, ele se jogou de joelhos e deslizou uns seis metros corredor afora...

...finalizando a música de um jeito super dramático, dando um soco no ar bem na frente do (adivinha só)... MEU ARMÁRIO.

Falando em IRONIA CRUEL! DROGA!

Mas, tirando a cantoria, sou obrigado a admitir que ele deu um show DO CARAMBA!

Para um velhote com um esfregão, pelo menos.

Eu teria curtido muito mais se não tivesse assistido de dentro, você sabe...

# DO MEU ARMÁRIO IDIOTA!!

Depois de agradecer aos milhares de fãs imaginários, o zelador guardou o carrinho dentro do depósito e começou a apagar todas as luzes do colégio.

Então ele saiu dançando pelo corredor, passou pelo meu armário e seguiu direto para a porta de saída.

Eu sei!

Meu dia MUITO ruim só estava PIORANDO.

Porque AGORA eu estava trancado dentro de um colégio ESCURO e ASSUSTADOR...

Sozinho.

Preso DENTRO do meu armário.

Sem comida.

Sem água.

E sem banheiro.

Por um fim de semana de três dias.

Desculpa, mas isso estava muito ERRADO!

# 15. DIVAGAÇÕES DE UM MALUCO DO ARMÁRIO

*Durante o período em que passei preso dentro do armário, tive muito tempo para pensar profundamente sobre a minha porcaria de vida.*

*Tipo, no que havia de BOM nela (minha família, acho) e de RUIM (eu tinha uma longa lista de coisas), e se eu tinha o poder de mudar alguma coisa.*

*Eu estava cansado e cheio de ser tratado como LIXO pelo Tora. Mas, tenho de admitir, a culpa era MINHA por deixá-lo se livrar disso. Eu devia ter pedido ajuda. Prometi a mim mesmo que, se eu conseguisse sair vivo dessa enroscada, NUNCA MAIS iria deixar que aquilo acontecesse outra vez comigo. Ou com qualquer outra pessoa.*

*Eu não merecia isso! NINGUÉM merecia! Eu me senti muito mal quando pensei nos meus pais. Eles se preocupavam muito comigo e sempre perguntavam como as coisas estavam indo no colégio. E eu menti para eles.*

*Mas AGORA vou contar a VERDADE. Queridos papai e mamãe, é assim que estou me SENTINDO!...*

* 147 *

Tá, pode dizer que meus sentimentos provavelmente são um pouco ~~exagerados~~ intensos e infantis no momento.

Desculpa, mas é isso que está passando pela minha cabeça agora.

Já está na hora de todo mundo saber a verdade.

Ei, não tem nada de vergonhoso NISSO!

De qualquer modo, estou preso no meu armário há mais de três horas. O que significa que agora tenho apenas...

*Fazendo as contas de cabeça*

# MAIS OITENTA E CINCO HORAS PELA FRENTE?!!

# DROGA!!

A pior parte de tudo isso é que, por causa da minha agenda lotada, minha família nem vai se dar conta de que estou desaparecido até que seja tarde demais.

Quais eram mesmo as atividades superdivertidas, intensas e cheias de adrenalina que eu tinha planejado para o fim de semana prolongado?

Que tal escalar uma montanha, correr cinco quilômetros, fazer esqui radical e participar de um campeonato de bicicross!

# SÓ QUE NÃO!!

A minha avó tinha planejado ir ao Encontro Anual de Tricoteiras de Westchester com as amigas na sexta, no sábado e no domingo para assistir a um montão de aulas.

E segura essa!

Ela me ofereceu vinte pratas por dia para cuidar do sarnento do Profiterole na casa dela, durante todo o fim de semana.

* 152 *

Então, SIM! Eu concordei em dormir lá e cuidar de um cachorro mentalmente perturbado que tem a nojenta mania de esfregar o traseiro no tapete quando pensa que ninguém está vendo.

~~O que significa que eu ia comer, dormir, assistir TV e jogar videogame por três dias e ainda ser PAGO por isso! IRADO!!~~

Aposto que você deve estar pensando que minha avó vai telefonar para os meus pais quando eu não aparecer na casa dela.

Então meus pais vão telefonar para a polícia para reportar o desaparecimento do filho deles.

Depois seguirão meus passos até o colégio, e eu serei salvo em um estalar de dedos! Certo?

ERRADO de novo!

Hoje de manhã minha avó telefonou e CANCELOU tudo de última hora.

* 153 *

~~Mas resolvi NÃO mencionar esse detalhe aos meus pais,~~
~~porque eles têm pegado no meu pé para eu limpar a~~
~~garagem. Então eu estava pensando em passar a noite~~
~~na casa do Brandon e o feriado todo na Amigos Peludos.~~

Minha avó e as amigas desistiram de ir ao encontro de tricoteiras porque o homem da previsão do tempo da TV disse que ia chover.

E, apesar de o encontro acontecer em um local fechado, ela disse que a chuva poderia atacar a sua artrite e fazer seus tornozelos incharem, por isso ela resolveu ficar em casa, assistindo a uma maratona do seriado As supergatas na TV.

E agora a minha avó pensa que estou em casa com meus pais.

E meus pais pensam que estou na casa da minha avó.

O que significa que a minha FAMÍLIA INTEIRA não faz a menor ideia do meu paradeiro, apesar de a Megan não estar nem aí pra isso.

\* 154 \*

Vai demorar DIAS para eles finalmente perceberem que estou desaparecido e telefonarem para a polícia.

E, quando isso acontecer, será tarde demais!

Claro que a Megan vai comemorar minha morte prematura transformando meu quarto no closet para sapatos com o qual ela sempre sonhou.

E o Oliver vai vestir sua fantasia de Batkid e rabiscar todas as minhas coisas com canetinha preta (incluindo a minha querida coleção de revistas em quadrinhos) E as paredes do meu quarto, até a canetinha secar ou ele desmaiar de cansaço, o que acontecer primeiro.

Não tenho a intenção de parecer dramático e deprimido, mas, a menos que aconteça um milagre, NÃO vou conseguir sair vivo do meu armário de JEITO NENHUM!

## 16. QUEM DISSE QUE UM ZUMBI NÃO SABE FAZER RAP?!

# BIPE-BIPE! BIPE-BIPE!
# BIPE-BIPE! BIPE-BIPE!

Meus olhos dispararam e meu coração batia feito um tambor quando acordei assustado de um sono profundo.

O nevoeiro em minha mente começou a desaparecer, e eu me dei conta de que meu relógio tinha acabado de apitar nove horas da noite. Mas, por algum motivo, parecia ser bem mais tarde do que isso.

Meu quarto estava mais escuro do que o normal. Será que eu estava precisando trocar a lâmpada do abajur?

Minha garganta estava seca e eu sentia cãibras nas pernas. Na verdade, meu corpo INTEIRO doía.

Eu tinha acabado de ter o sonho mais DOIDO de todos!!

Com... o Tora Thurston?!!

* 156 *

Eu me ergui para acender o abajur em cima do criado-mudo quando...

## BANG!!!

Bati a cabeça em uma fria e dura placa de metal.

Ai! Doeu! Foi como se alguém tivesse tocado um sino dentro da minha cabeça.

Onde é que eu estou?, pensei.

Tateei na escuridão e toquei no meu casaco, na minha mochila, no meu diário e...

## EM QUATRO PAREDES DE METAL?!

De repente todas as memórias me invadiram.

Depois da aula. O Tora. O armário. A escuridão. O zelador. O esfregão. Mais escuridão...

## FIM DE SEMANA DE TRÊS DIAS!

"NÃÃÃOOO!!", lamentei. "Por favor, que isso seja apenas um PESADELO!"

Mas NÃO ERA um pesadelo. Era a minha REALIDADE. Eu AINDA estava preso dentro do meu armário, esperando que alguém viesse me salvar!!

A MENOS QUE...

Fechei os olhos e pensei em algo muito mórbido.

É possível que eu... já esteja... MORTO?!

Claro, eu me sentia um pouco dolorido, mas eu não me sentia... morto.

Apesar de não ter muita certeza disso, já que nunca morri antes.

Eu me ajeitei em uma posição mais confortável e encolhi os dedos dos pés para ajudar aliviar a cãibra forte que eu estava sentindo nas pernas.

Na verdade, cãibras musculares são um péssimo sinal.

* 158 *

Eu tinha lido em algum lugar que o corpo de um cadáver pode ter fortes espasmos musculares e de repente sentar retinho.

ECA! Tipo, isso não seria muito ASSUSTADOR no velório da sua tia-avó?! Mas COMO eu podia estar morto se ainda estava me sentindo tão... VIVO?!

A MENOS QUE...

Um pensamento ainda MAIS mórbido passou pela minha cabeça, me causando um arrepio na espinha.

E se eu tivesse MORRIDO dentro do armário e tivesse voltado como um...

# ZUMBI?!!

**NÃÃÃOO!!** (Não fiquei nada feliz com isso!)

Bom, uma coisa era certa. Ser um MORTO-VIVO definitivamente NÃO ia ajudar minha vida social inexistente ou melhorar a minha PÉSSIMA rep...

*159*

Já assisti aos filmes *Apocalipse zumbi* 1, 2, 3, 4, 5, 6 e 7. E os zumbis são basicamente pessoas malvadas, nojentas e podres. Literalmente.

Foi quando eu tive de fazer a mim mesmo uma pergunta profundamente filosófica.

AINDA preciso ficar com medo de o Tora me MATAR se sou um ZUMBI e JÁ estou morto?

## NÃO!! SINISTRO!

O que significa que, da próxima vez que o Tora vier pra cima de mim, não terei que me preocupar com a surra que ele vai querer me dar.

E finalmente poderei acertar as contas com ele de uma vez por todas.

## COMO?

Eu poderia simplesmente arrancar uma parte do meu corpo da qual não preciso muito (tipo uma orelha ou um dedão) e entregar para ele ~~e ficar vendo o cara ter um surto!!~~...

Talvez a minha vida como zumbi não fosse assim tão ruim. Fiquei tão inspirado que resolvi escrever um rap:

\* \* \* \* \* \* \* \* \* \* \* \* \* \* \* \* \* \* \* \* \* \* \*

## MENSAGEM DE UM ZUMBI DO ENSINO FUNDAMENTAL

Sou um rapper zumbi, irmandade,
minha maldição é cantar por toda a eternidade.

Posso ser morto-vivo, mas ainda tô ativo,
ao contrário do meu corpo, meu talento não é podre.

Vê se para de tremer, oh, bundão.
Minha parada é carne de gente com pão.

Meu coração é de pedra e meu olho roxão.
Mas a coisa SÓ PEGA quando tô com o mic na mão.

Sou arrogante de montão! Meu ego é infladão!
Meu cheiro tá podrão? Segura essa, meu irmão!

Mas as minas ainda piram e gritam de montão:
"Oh! Não me mate, não, gatão!"

\* 163 \*

As moscas dão canseira, e eu tô na maior babeira.
Mas acreditar em mim é o que segura a MINHA
estribeira!

Enfrentar a multidão era a minha ambição,
na vida que tive antes de vir parar no meu covão.

Escutaaqui,meuirmão!Quemprocurasemprealcança.
SUA mente tem PODER para estar na liderança!

Seja fiel CONSIGO MESMO se o BICHO PEGAR!
Não fiquei comendo cérebro esperando o sucesso
chegar!

Sou o Max C. Zumbi! Mato feito inseticida.
Primeiro você vai virar COMIDA! Mas depois te dou a
VIDA!

\* \* \* \* \* \* \* \* \* \* \* \* \* \* \* \* \* \* \* \* \* \* \* \*

Uau! Acho que esse rap ficou muito profundo.

Quemiriaimaginarque essa coisade zumbi pudesse ser
tão inspiradora?

\* 164 \*

*A BOA notícia é que tenho certeza de que NÃO sou um zumbi. POR QUÊ?*

*Porque eu não tinha comido nada desde o almoço e estava praticamente morrendo de fome, e meu estômago roncava feito um tiranossauro rex.*

*Mas eu não estava louco para comer CARNE HUMANA! Eu só conseguia pensar em um hambúrguer suculento e numa pizza de calabresa com queijo recém-saída do forno.*

*Mas a má notícia era que agora eu poderia adicionar MORRENDO DE FOME à minha longa lista de problemas pessoais.*

*Foi aí que de repente eu lembrei...!!*

*Tateei no fundo do armário até tirar a sorte grande!*

*Havia um saquinho com três cookies de gengibre velhos que minha avó tinha preparado para eu levar no primeiro dia de aula. As bolachas dela sempre foram duras feito pedra e pareciam discos de hóquei polvilhados com canela.*

* 165 *

*Só joguei o saquinho dentro do meu armário porque estava com muita preguiça de ir até o cesto de lixo mais próximo, a uns vinte metros de distância.*

*De qualquer forma, mandei ver até o último farelo daqueles biscoitos para cachorro como se fossem meus cookies de chocolate preferidos recém-saídos do forno.*

*Cara! Aqueles foram os melhores BISCOITOS RUINS que eu já comi em TODA minha vida!*

*Graças à minha soneca e ao meu lanchinho não-tão--gostoso, consegui recuperar a energia e o otimismo.*

*Talvez houvesse um jeito de sair do meu armário.*

*Eu só precisava descobrir. E RÁPIDO!*

*Pelo jeito, eu NÃO ERA um ZUMBI semiapodrecido (ainda)!*

*Mas eu já estava socado dentro do meu armário quente e abafado havia tanto tempo que definitivamente estava começando a FEDER feito um. SÉRIO!*

* 166 *

# 17. BASTA CHUTAR!

Liguei minha lanterna e examinei cuidadosamente cada cantinho do armário.

A porta e as duas paredes laterais eram feitas de metal firme e presas por dobradiças e parafusos.

Já o material da parede do fundo era bem fino.

O que fazia sentido, já que os armários ficavam encostados na parede do corredor.

E então um plano brilhante me ocorreu! Escapar do meu armário ia ser MOLEZA e levaria apenas uns cinco minutinhos...

Se eu tivesse as FERRAMENTAS certas!!

Mas, infelizmente, minha mãe não tinha colocado um maçarico, uma parafusadeira e uma britadeira na minha mochila junto com meu sanduíche de pasta de amendoim e geleia...

SE AO MENOS MINHA MÃE TIVESSE COLOCADO ALGUMAS FERRAMENTAS JUNTO COM MEU LANCHE!!

O que significava que eu ficaria PRESO no meu armário por mais...

*Fazendo as contas de cabeça*

Oitenta e três horas!

# FALA SÉRIO!!!!!!

Eu não ia durar oitenta e três horas.

Todas as minhas energias e otimismo escaparam de mim feito ar vazando de uma bexiga furada e, na mesma hora, foram substituídos por raiva e frustração.

Foi quando eu perdi completamente a cabeça e chutei a parede de trás.

# BAM!!!

Chutei com MUITA força. Infelizmente, foi com TANTA força que fiquei com medo de ter quebrado a porcaria do meu pé.

# AAAAAIIIIIII!!!

Foi quando eu ouvi um barulho esquisito.

E NÃO! Não fui eu soluçando por causa da dor forte no meu pé. Era mais como algo quebrando e esfarelando.

E NÃO! Não foi o barulho dos ossos do meu pé quebrando e se desfazendo, engraçadinho!

Então chutei com ainda mais força com meu outro pé e depois encostei a orelha contra o painel do fundo.

Parecia o barulho de uma parede falsa e velha rachando e esfarelando.

## SERÁ QUE ESTA SERIA A SAÍDA DO MEU ARMÁRIO?!!!

Com esperanças renovadas, continuei chutando o painel de trás com o máximo de força que consegui.

# BAM! BAM! BAM!

Vários parafusos soltaram das paredes laterais e caíram no chão.

Apesar de eu estar suando feito porco e com os dois pés latejando de dor, continuei chutando.

# BAM! BAM! BAM!

Chutei aquele painel como se ele fosse o TRASEIRO do Tora!!

# BAM! BAM! BAM!

Até que finalmente ouvi um alto...

# CRÉC! CRÉC! PAF!

Acabado e ofegante, recostei na parede lateral e, com a lanterna, examinei o painel do fundo.

Devia ter algum cano vazando por ali, pois a parede falsa úmida e podre se desfez.

Havia pedacinhos dela no chão do meu armário, parecendo bolas de neve disformes.

O painel do fundo ainda estava parcialmente preso por parafusos na parte de cima.

Só que agora ele literalmente balançava para a frente e para trás, como uma daquelas portinhas para cachorro.

Segurei no pedaço solto do painel e puxei para trás.

Em seguida, inclinei cuidadosamente o corpo para a frente para dar uma olhada no estrago que eu tinha feito na parede.

Surtei totalmente com o que vi...

# UM BURACO IMENSO!!

Mas eis a parte ASSUSTADORA! Um brilho vermelho misterioso estava vindo de algum lugar do outro lado!

Admito que fiquei ~~tão apavorado que quis me jogar no chão e sair rolando e gritando como um doido!~~ um pouco nervoso.

Senti uma vibe muito ruim, como se eu estivesse prestes a entrar em um FILME DE TERROR ou algo assim.

Mas não me leve a mal!

Gosto de ASSISTIR a filmes desse tipo, mas NÃO de ser uma daquelas vítimas de assassinato que não fazem a menor ideia de que vão morrer.

Então tive que tomar uma decisão difícil.

Eu poderia dar meia-volta e ficar esperando NO armário por mais (*fazendo as contas de cabeça*) OITENTA E DUAS HORAS E CINCO MINUTOS até ser salvo, ou sair por aquele buraco rumo ao desconhecido possivelmente assustador.

É sempre mais fácil ignorar um problema e não fazer nada quando se está morrendo de medo.

* 174 *

*Mas foi EXATAMENTE por isso que acabei entrando nesta grande confusão.*

*Desculpa, mas eu estava enjoado e cansado de viver daquele jeito.*

*Resolvi arriscar e sair pelo buraco da parede!*

*Eu não fazia a menor ideia para ONDE ele iria me levar.*

*E eu não estava nem um pouco preocupado.*

*Eu só queria DUAS coisas:*

*Primeiramente, um BANHEIRO!*

*E, depois, uma PORTA DE SAÍDA! Para que eu pudesse dar o fora, humm... de sabe-se lá onde eu estava... e ir para CASA!!*

\* 175 \*

## 18. PENETREI NAS PROFUNDEZAS SOMBRIAS DO... ONDE EU ESTOU?!

Decidi não carregar peso, por isso achei melhor deixar minha mochila e meus livros dentro do armário.

Peguei minha bombinha de inalação e a lanterna e enfiei as duas coisas no bolso da calça. Depois guardei meu diário no bolso da frente do moletom.

Quando encarei pela segunda vez aquela luz avermelhada esquisita, notei que o lugar parecia meio cheio de fumaça por causa da enorme quantidade de pó que tinha se erguido com a abertura do buraco na parede.

Mas, quando a poeira começou a assentar, pude ver uma velha luz de emergência vermelha brilhando fraca sobre a minha cabeça. Ela criava sombras estranhas que ficavam girando lentamente ao meu redor, parecendo fantasmas dançarinos do mal, esperando pelo momento certo de atacar. GLUP!!

Comecei a tremer e a suar frio. De repente, passei a ver com outros olhos meu armário seguro, quentinho e aconchegante (eu sei, também não acredito que acabei de dizer isso!).

* 176 *

Quando a poeira finalmente baixou, percebi que estava dentro de uma sala estranha que parecia não ser usada havia décadas.

Pó e teias de aranha cobriam tudo, e os pingos que caíam dos canos do teto tinham formado poças d'água escuras no chão. O lugar fedia mais mofo e umidade do que o banheiro dos meninos depois de corrermos um quilômetro na aula de educação física.

Do lado direito da sala havia dois tanques imensos conectados a mangueiras grossas que se estendiam por quase todo o teto e pelas paredes.

Será que eu tinha acabado de descobrir o esconderijo secreto de um monstro robô de três metros de altura com uma dúzia de braços que mais pareciam tentáculos?!

No lado esquerdo, havia uma pilha de pedaços de parede falsa podre (certo, assumo a culpa por isso!), uma escada de metal alta e ainda mais canos. Pelo jeito eu tinha ido parar em uma antiga sala das caldeiras que aqueciam o colégio antigamente, mas que agora parecia megaassustadora...

* 177 *

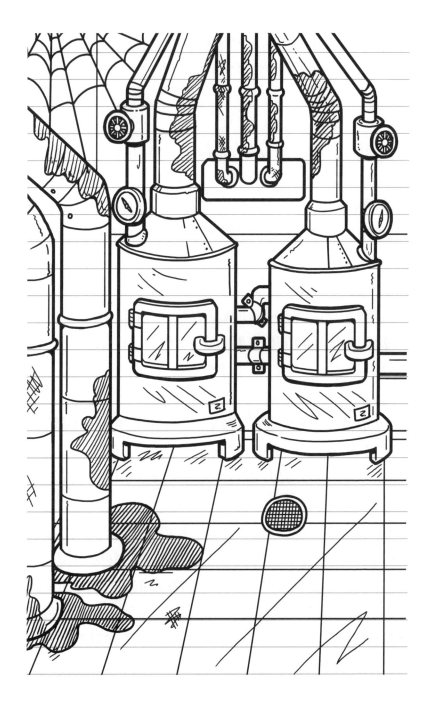

Dei um passo para dentro para dar uma olhada ao redor.

Os únicos barulhos que eu ouvia eram os ecos dos meus passos no piso de cerâmica e um irritante e constante *PLIM-PLIM! PLIM-PLIM! PLIM-PLIM!*

Num canto escuro do lado oposto da sala, notei uma grande porta vermelha com a maçaneta enferrujada e uma plaquinha coberta de poeira. Removi a poeira com a manga da blusa e fiquei surpreso. Estava escrito:

# SAÍDA DE EMERGÊNCIA!

Fiz minha dancinha da vitória ali mesmo!

Dei uma olhada no relógio. Se eu andasse rápido, conseguiria chegar em casa em vinte minutos. O que significava que ainda teria tempo de pedir uma pizza! *MARAVILHA!*

Segurei a maçaneta da porta e puxei com toda a força. As dobradiças enferrujadas rangeram feito um gato molhado enquanto a porta se abria lentamente. Engoli em seco e fiquei olhando completamente chocado...

... PARA UMA PAREDE DE TIJOLOS!

*O que significava que eu AINDA estava preso!!*

*E isso era simplesmente muito ERRADO.*

*POR QUE EU TINHA A SENSAÇÃO DE QUE A VIDA ESTAVA PREGANDO UMA PEÇA MUITO SEM GRAÇA EM MIM??!!*

*Meu coração disparou conforme eu tentava lutar contra outro ataque de pânico. Saí andando feito louco pela sala em busca de outra saída. Outra porta, uma janela, até um pedaço de forro solto! Mas não encontrei nada.*

*Sentei no degrau mais baixo da escada e cobri o rosto com as mãos. Eu estava com vontade de GRITAR!*

*Tudo bem. Então AGORA meu corpo ia ser encontrado na SALA DAS CALDEIRAS em vez de dentro do ARMÁRIO!!*

*Bom, a gente sempre pode olhar para o lado bom das coisas. Pelo menos eu tinha um espaço maior para MORRER!*

*Olhei para o alto e balancei a cabeça de desgosto. E nisso eu vi!*

\* 182 \*

# UMA SAÍDA!!...

## 19. O SENHOR DO LABIRINTO

Subi rapidamente a escada até uma grade de metal de saída de ar que tinha uns noventa centímetros de altura por cerca de um metro e vinte de largura. Olhando mais de perto, percebi uma saliência em cada um dos cantos inferiores.

Prendi o fôlego. Segurei nos cantos da grade e puxei com força. Por um milagre, ela abriu!

Dei uma espiada, rezando para que um bando de ratos mutantes não pulasse na minha cara e me confundisse com um queijo.

Estava um breu danado lá dentro, e eu não conseguia ver nada.

Acendi minha lanterna para ver alguma coisa. Eu estava na entrada de um túnel de metal quadrado que parecia NÃO ACABAR.

NUNCA!

NUNCA!!!

* 184 *

Com base em todos os filmes que já vi, túneis como esse SEMPRE levam para o lado de fora. PERFEITO!!

Ou para o telhado. DEMAIS!!

Ou para uma imensa caçamba de lixo. ECA!

Ou para um incinerador ardendo a seiscentos e cinquenta graus. AAAAAAAAAAAHHHHHHHHH!!!

Tá bom. Pensando bem, talvez NÃO FOSSE uma ideia tão boa assim.

Respirei fundo e virei para dar uma olhada naquele lugar úmido e mofado e no buraco disforme que levava de volta para o meu armário escuro e apertado.

Será que eu queria mesmo ficar por aqui pelas próximas (*fazendo as contas de cabeça*) OITENTA E DUAS HORAS?!

Definitivamente NÃO!!

Dei um impulso até o túnel e segui me arrastando enquanto a grade de ventilação batia com um estrondo atrás de mim.

\* 185 \*

Segui engatinhando lentamente pelo túnel, tentando ignorar o súbito ataque de claustrofobia que estava sentindo. Sim, eu estava começando a ficar com saudade da muito espaçosa, escura e úmida sala das caldeiras!...

Eu ainda não tinha visto nenhum rato. Mas e se tivesse alguma aranha venenosa? Ou cobras? Ou orcs famintos?!

Eu estava prestes a dar meia-volta quando, de repente, o túnel fez uma curva abrupta para a esquerda...

Foi quando avistei uma forma retangular escura a uns dez metros de distância.

Parei na hora.

E se fosse um alçapão que dava para uma rampa, por onde eu ia escorregar de cabeça por uns quinze metros até cair, hummm... no SISTEMA DE ESGOTO do colégio?

Avancei com muito cuidado para dar uma olhada enquanto meu coração martelava no peito.

Na verdade, era outra GRADE DE VENTILAÇÃO!

Com a diferença de que esta era um pouco menor do que a da sala das caldeiras.

Iluminei o espaço com a lanterna e então estreitei os olhos para tentar enxergar o que tinha do outro lado.

Fiquei feliz quando percebi que se tratava de uma sala de aula.

E não era uma sala de aula QUALQUER. Era...

\* 188 \*

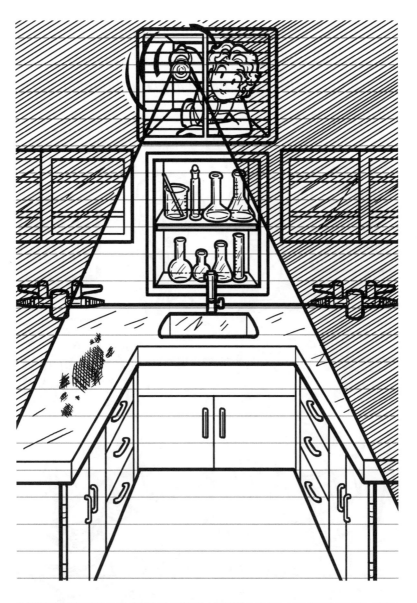

O LABORATÓRIO DE CIÊNCIAS FÍSICAS!

*Vi até a mancha de queimado na bancada do laboratório onde, no segundo dia de aula, o Tora ateou fogo ao próprio livro para impressionar a parceira de laboratório gatinha...*

Mas, infelizmente, o foguinho do Tora se espalhou e atingiu as anotações da garota! E, do bloco de anotações, seguiu para a bolsa dela!

O alarme de incêndio disparou e o sistema anti-incêndio foi ativado, não demorando muito para quatro caminhões de bombeiros escandalosos virem até o colégio a uma velocidade de cento e dez quilômetros por hora.

Foi **INSANO!!**

Graças a Deus, ninguém se machucou.

Claro que os alunos ficaram muito felizes quando todos foram dispensados e puderam ir para casa para que a equipe de limpeza cuidasse de tudo.

Acho que o Tora definitivamente devia ter levado uma suspensão por causa daquela brincadeirinha. Mas ele jurou que tudo não passou de um grande acidente, e o diretor lhe concedeu o benefício da dúvida.

Fiquei com muita pena da parceira do Tora. A coitada deve ter ficado traumatizada. Nunca mais a vi no laboratório, e acho que ela mudou de classe. Ou talvez de COLÉGIO!

De qualquer forma, eu FINALMENTE descobri onde estava. Dentro do extenso sistema de ventilação do colégio.

Tratava-se basicamente de quilômetros de túneis que percorriam todo o prédio, com saída de ar em cada uma das salas de aula, incluindo o ginásio de esportes, o refeitório, a sala dos professores, a secretaria e os corredores.

Mais especificamente, era um LABIRINTO sem fim!

Animal! Certo? Era como se eu estivesse no meu próprio JOGO DE VIDEOGAME de realidade virtual ou algo assim.

E eu, MAX CRUMBLY, era o poderoso...

# SENHOR DO LABIRINTO!

De qualquer modo, eu estava no corredor do oitavo ano e passei pelas salas de arte, inglês e estudos sociais.

* 192 *

Mas havia UM lugar que eu estava ansioso para visitar antes de ir para casa.

Sim, o banheiro dos meninos!

E, a julgar pelo ponto em que eu me encontrava no sistema de ventilação, eu teria de avançar mais uns três metros e meio até a sala de estudos sociais, continuar pelo corredor principal, seguir mais uns vinte metros, passar pelo laboratório de computação e *BAM!*

Tempo estimado de chegada, dois minutos e trinta segundos.

Só que, quando eu estava chegando ao laboratório de computação, notei uma coisa esquisita!

Havia uma luz acesa lá dentro, e dava para ouvir vozes. Pareciam ser de vários adultos.

Eu só não conseguia entender porque meus professores, ou até mesmo o pessoal da limpeza, estavam no colégio até uma hora daquela, na véspera de um fim de semana prolongado.

\* 193 \*

*Fui vencido pela curiosidade, por isso resolvi investigar.*

*Eu não tinha a menor intenção de me entregar e muito possivelmente correr o risco de levar uma suspensão por estar no colégio depois do horário de aula, apesar de estar ali contra a minha vontade.*

*Além do mais, seria quase impossível que eles me vissem espiando de dentro da tubulação de ar, certo?!*

*Ei, o que poderia dar errado?!*

# 20. SERÁ QUE SERVEM PIZZA DE PEPPERONI NA CADEIA?

Tudo bem. Admito que fiquei meio APAVORADO! HAVIA TRÊS HOMENS NO LABORATÓRIO DE COMPUTAÇÃO! No começo achei que eram da limpeza. Mas logo ficou claro que não.

"É isso aí, rapazes! Nosso maior roubo", disse um sujeitinho atarracado usando um terno verde barato. Ele tinha costeletas feias e uma peruca torta ~~que mais parecia uma marmota muito grande e suja que tinha subido na cabeça dele e MORRIDO~~ ali. "Está na hora de sermos promovidos de batedores de carteira amadores para ladrões profissionais."

"É ASSIM que se fala, Ralph!", exclamou um magrelo alto com uma bandana na cabeça. "Vou comprar uma câmera e um montão de jogos de videogame com o meu rico dinheirinho! Depois vou largar meu emprego de chapeiro e começar a postar meus vídeos jogando videogame no YouTube. Vou ficar milionário rapidinho!"

"Tucker, como é que você vai ganhar dinheiro com isso?!", perguntou Ralph. "Já sei! Você pode pedir para

* 195 *

um montão de estranhos mandar vinte pratas cada pelo correio e depois sentar e esperar o dinheiro pingar!"

Tucker coçou a cabeça. "Humm, na verdade, acho que ainda não pensei nisso. Mas sua ideia é genial! Se eu pedir para um milhão de pessoas me mandarem vinte pratas, vou receber, humm... vinte milhões, certo?"

"ERRADO!!", berrou Ralph. "Porque ninguém ia ser TONTO de mandar dinheiro para um IDIOTA como você, só porque você pediu!"

"Por falar em ideia tonta, será que alguém poderia me dizer por que estamos em um colégio?", perguntou um fortão com cabelo preto espetado, usando jaqueta jeans. "O que vamos roubar, livros de matemática? Vocês sabem que levei bomba em matemática, não sabem? Não sou bom com números! O que eu mais gostava no colégio era a hora do lanche. Sempre fui direto para o recreio. Na verdade, tô morrendo de fome. Sou capaz de comer um cavalo!"

Aqueles caras estavam falando sério? Eles pareciam personagens de um desenho animado de sábado de manhã.

* 196 *

"Moose, você está sempre reclamando de fome!", disse Tucker. "Você não passa de um bebezão de noventa quilos, cara!"

"Tucker, não começa...!", Moose retrucou.

"Fechem as MATRACAS, os dois!", Ralph deu uma bronca neles.

"Bom, eu acho que a gente devia ter roubado aquela pizzaria Queijinho Derretido no caminho pra cá", disse Moose. "Se fôssemos pela janelinha do drive-thru, pegaríamos a grana em sessenta segundos! E, quando eles te fazem esperar mais do que isso, você ganha uma pizza de muçarela! Vi na propaganda da TV!"

"Eu também vi essa propaganda!", exclamou Tucker. "E, se você comprar dez asinhas de frango, leva uma porção de asinhas apimentadas GRÁTIS! Cara, eu AMO asinhas apimentadas!"

"Parem de falar de comida e concentrem-se!!", berrou Ralph, soando tão bravo que seu falso topete pulava como se estivesse tentando fugir. "SE EU QUISESSE ANDAR COM DOIS PALHAÇOS, TERIA IDO AO CIRCO!!"

* 197 *

"Foi mal, chefe!", Moose e Tucker pareceram meio contrariados.

"Escutem! Vou explicar pela ÚLTIMA vez", disse Ralph, irritado. "Esta escola tem trinta e seis computadores novinhos em folha, e cada um vale uma pequena fortuna! E não tem segurança. Vocês sabem o que isso significa?!"

"Você tá brincando?!", Tucker pareceu empolgado. "Isso significa que posso atualizar meu perfil do Facebook daqui! Você precisa ver as fotos que tirei do meu gato, o sr. Crespo! Ontem foi aniversário dele!"

"Esqueça seu GATO idiota!", resmungou Moose. "Vamos acabar logo com isso. Fico irritado quando estou com fome! Eu devia ter trazido um lanchinho. Tô MORRENDO DE FOME!"

"Bom, MORRA DE FOME na sua HORA DE FOLGA!", esbravejou Ralph. "Agora você está trabalhando para MIM. Comece a carregar estes computadores para o corredor!"

EITA!! Esses caras estão pensando em ROUBAR todos os COMPUTADORES novos do colégio!!...

* 198 *

"Esse papo de tirar DOCE de criança me deixou com mais fome ainda!", reclamou Moose.

"Na verdade, também estou ficando com fome", admitiu Tucker.

"Que tal ligarmos na Queijinho Derretido? Tenho um cupom de trinta por cento de desconto para uma dúzia de palitinhos de queijo", disse Moose.

"Cara! Estou dentro!", exclamou Tucker. "Ei, Ralph! Você tá a fim de uns palitinhos de queijo?"

"CLARO! Vamos passar nossa localização! E, se tivermos sorte, seremos presos e o entregador de pizza será capaz de RECONHECER nossa CARA na delegacia! Tudo isso porque os dois CABEÇAS-OCAS resolveram pedir palitinhos de queijo!!", berrou Ralph, cheio de sarcasmo. "Mas o melhor de tudo é que, depois de sermos condenados a dez anos, ELES SERVEM PIZZA NA CADEIA!!!"

Tucker piscou, surpreso. "Espera um pouco! Pizza?! Na... CADEIA?!!"

* 200 *

Eu fiquei, tipo: "Dã! Você vai para a PRISÃO por ROUBO!"

"O que foi, Einstein?!", provocou Ralph. "Tá arrependido?"

"Só estou pensando. Se tem pizza na prisão, eu poderia pedir a Superpepperoni. Ou talvez linguiça com pimenta verde. Na semana passada, comi uma de presunto com abacaxi e cogumelos. Estava uma delicinha!"

"E a comida na cadeia é de graça, certo? Imagina só pizza de queijo quentinha DE GRAÇA?!", soltou Moose.

Ralph balançou a cabeça totalmente desanimado. Então fechou os olhos e esfregou as têmporas.

"Você dois... dá pra parar de falar? PAREM! DE! FALAR!", ele berrou enquanto sua cara ficava vermelha. "O PRÓXIMO QUE ABRIR A BOCA GRANDE VAI GANHAR ALGO PARA COMER! UM SANDUÍCHE DE MURRO! ENTENDERAM?!!"

Moose e Tucker balançaram a cabeça vigorosamente, com as bocas tão fechadas que parecia que tinham chupado um tubo de supercola. Tudo ficou tão silencioso

\* 201 \*

que dava para ouvir um alfinete cair. Quando de repente...

# BIPE-BIPE!

# BIPE-BIPE!

# BIPE-BIPE!...

Os três ficaram paralisados olhando ao redor da sala. Eles estavam claramente com medo de terem disparado sem querer algum alarme antirroubo.

Na verdade, o alarme antirroubo parecia muito familiar. E, o mais estranho ainda, era que parecia vir de algum lugar muito próximo.

Olhei para o meu pulso e engoli em seco.

# AH, DROGA!!

Eu não conseguia acreditar que aquilo estava mesmo acontecendo comigo. Foi quando resmunguei aborrecido...

*Fui descoberto pelos ladrões!! Meu disfarce estava arruinado!*

*Digamos apenas que eles NÃO ficaram felizes em me ver.*

*Não mexi um músculo enquanto meu coração parecia bater dentro dos ouvidos igual o baixo do meu rap preferido. Fiquei com TANTO medo que quase borrei a calça ali mesmo, dentro da tubulação de ar! SÉRIO!*

*Os três se aproximaram lentamente, me encarando como se eu fosse um macaco enjaulado no zoológico da cidade ou algo assim!*

*"É, Moose, você está certo!", sussurrou Tucker, zombando. "TEM um garoto lá!"*

*"Não sei QUEM ele é, ou O QUE está fazendo. Mas, cara, só sei de UMA coisa...!", berrou Ralph, ameaçador.*

*"O que foi, chefe?", Tucker e Moose perguntaram juntos.*

*"Quando eu colocar as mãos naquele garoto..."*

\* 204 \*

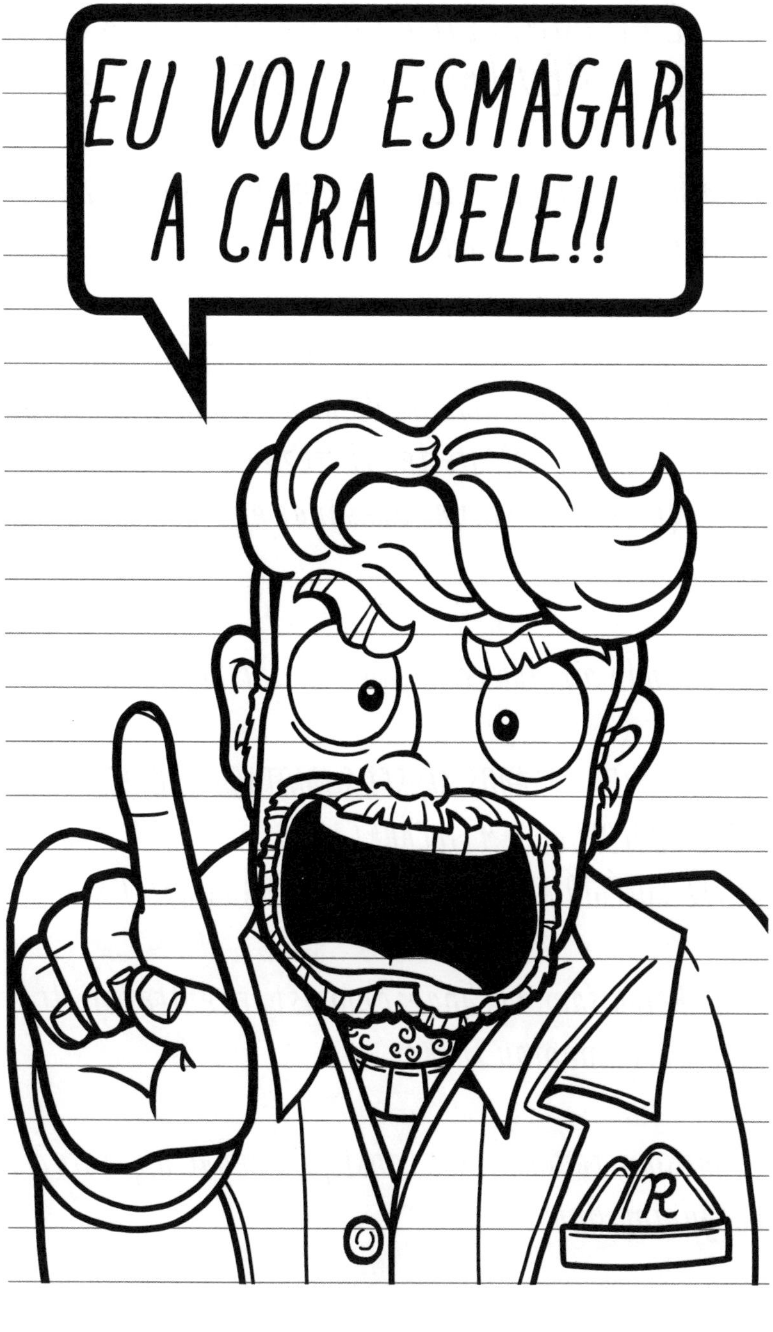
EU VOU ESMAGAR A CARA DELE!!

# 21. SE EU CONSEGUIR CHEGAR EM CASA VIVO, MEU PAI VAI ME MATAR!

Para ser sincero, eu NÃO estava muito ansioso para ter a minha cara amassada.

Enquanto os três continuavam me encarando, fui me afastando lentamente da grade de ventilação, de volta para o túnel, até ter certeza de que eles não conseguiam mais me ver, apesar de eu ainda conseguir vê-los.

Foi quando o Ralph começou a gritar bem alto...

"NÃO FIQUEM PARADOS AÍ, SEUS IDIOTAS!! VÃO PEGAR O ENXERIDO! PROCUREM EM CADA CANTO DA TUBULAÇÃO DE AR DESTE COLÉGIO ATÉ COLOCARMOS AS MÃOS NELE!"

"Mas, Ralph, somos grandes demais para entrar ali atrás dele", argumentou Tucker.

"É mesmo, como vamos conseguir pegar o garoto?", perguntou Moose.

"Apenas o ENCONTREM, CABEÇAS DE MINHOCA, e deixem o resto comigo!", esbravejou Ralph.

"Tá bom, Ralph. Mas podemos fazer uma pausa rápida para jantar antes?", perguntou Tucker.

"Você quer fazer uma PAUSA?! Vou fazer você parar! Vou QUEBRAR O SEU NARIZ!", berrou Ralph enquanto pegava uma revista de cima da mesa e a enrolava, transformando-a em uma arma. "AQUI está a sua PAUSA!"

PAF! Ele deu um golpe na cabeça do Tucker!

"AI!", gritou Tucker.

"Falei para os dois COMEREM antes de sair, mas NÃO! Vocês nunca me escutam!"

PAF! Ele deu um golpe com a revista na cabeça do Moose também.

"AI!", Moose reclamou.

"Ainda com fome? Toma aqui a SOBREMESA!"

* 207 *

*PAF! Ele acertou Tucker outra vez.*

*"Ei!", disse Tucker, olhando para a revista. "Cara, espera um pouco! Me deixa dar uma olhada mais de perto nessa revista."*

*"Que tal enfiar a revista goela abaixo por ter desperdiçado meu tempo valioso? Vai ficar PERTO o suficiente?", resmungou Ralph.*

*"Calma aí, Ralph! Relaxa um pouco, tá?", Tucker tirou a revista da mão do chefe e estreitou os olhos para ler as letras miúdas da capa.*

*"Não estamos na biblioteca. Leia na SUA hora de folga, IDIOTA!", trovejou Ralph.*

*"NÃO PODE SER! Isto parece ser um gibi edição limitada de 1972. Tenho certeza de que deve valer UMA NOTA!", exclamou Tucker.*

*Meu coração disparou! Ele parecia descrever a revista em quadrinhos do meu pai! Avancei um pouquinho para dar uma olhada mais de perto!*

\* 208 \*

Ah, mas que droga! ERA a revista em quadrinhos do meu pai! Devo ter deixado cair da mochila enquanto eu jogava no laboratório de computação.

"Bom, para mim parece totalmente sem valor!", Ralph berrou de volta.

"Escuta! Eu entendo disso, cara. E estou te dizendo que essa revistinha vale OURO! Quer uma prova? Ligue o computador e procure no Google."

"É melhor estar certo! Ou vou fazer PICADINHO de você no jantar!", esbravejou Ralph.

Eu admito que deveria estar mais preocupado em ficar bem longe daqueles caras o mais rápido possível. Mas eu estava muito curioso ~~para saber o TAMANHO DA ENCRENCA em que havia me METIDO por ter perdido a revista em quadrinhos do meu~~ pai!

"Viu só, chefe? Vale mais de cinco mil!! E ainda mais se estiver inteira!", Tucker sorriu orgulhoso.

# CINCO MIL DÓLARES?!!!

Parecia que eu tinha acabado de levar um soco no estômago!

"YESSS! Nada como ganhar dinheiro fácil, garotos!", exclamou Ralph. "Tucker, por que não disse nada antes de eu te bater com ela? Eu podia ter danificado essa valiosa revista em quadrinhos com a sua CABEÇA DURA. Agora me devolva isso!"

"Espera um pouco!", Tucker protestou. "Você disse que temos uma porcentagem de TUDO. E isso inclui a revista em quadrinhos! Portanto, só por garantia, vamos deixá-la em cima dessa mesa."

Que maravilha! Os caras iam roubar os computadores do colégio E a revista em quadrinhos do meu pai, que valia cinco mil pratas!!

Dei meia-volta e comecei a engatinhar pela tubulação de ar o mais rápido que as minhas pernas e braços conseguiam se mover!

Avancei uns cinquenta metros e virei à direita, e depois mais quase trinta e virei à esquerda.

\* 211 \*

Acabei em um corredor longo e sem saídas de ar. Era o lugar perfeito para parar e descansar.

Tudo o que eu conseguia escutar era o som distante das vozes abafadas dos caras, que ainda estavam discutindo por causa da revista em quadrinhos, e meu coração martelando feito um bumbo.

Gotas de suor pingavam da minha testa, e minhas mãos e joelhos estavam ardendo de tanto engatinhar.

Sentei, abracei os joelhos e fechei os olhos. Eu estava começando a me sentir um pouco zonzo quando me dei conta de que estava prendendo a respiração.

Muito bem, Crumbly! Aguenta firme! DEIXAR de respirar vai meio que dificultar manter-se vivo. Inalei duas baforadas da minha bombinha e tentei respirar fundo.

Qual é única coisa PIOR do que ficar trancado no colégio sozinho depois do horário?

É ficar trancado no colégio depois do horário com três ladrões BRUTAIS! Todos eles querendo amassar a minha cara!

* 212 *

*A coisa estava feia!*

*Onde estão os inspetores de alunos quando você REALMENTE precisa deles?!*

*Alguém precisava deter aqueles criminosos. Mas, infelizmente, eu era o único "alguém" por perto.*

*Meus instintos me diziam para me levantar e ser um herói. Mas meus pulmões estavam, tipo: "De jeito nenhum! São três contra um, você está sozinho. Fique escondido no seu armário aconchegante e seguro até aquelesbandidosterminaremoserviçoeiremembora!"*

*Hum, certo. Admito que meus pulmões tinham certa razão.*

*Sim, eu era um covarde inútil. E não tinha um abdome de tanquinho como o do Tora Thurston.*

*Mas eu TINHA a INTELIGÊNCIA e a minha fiel bombinha. E tinha conseguido chegar ao nível quarenta e nove do jogoCavaleirosValentesdaGaláxiaemapenastrêsdias.*

\* 213 \*

E era um especialista em super-heróis e vilões, por ter lido milhares de revistas em quadrinhos.

Mas, o mais importante, eu precisava tentar pegar de volta a revista do meu pai ~~antes que ele percebesse que ela tinha desaparecido e me estrangulasse!~~

Foi quando bolei um plano BRILHANTE.

Enquanto aqueles homens estivessem ocupados carregando os computadores, eu iria até a secretaria, pelo sistema de ventilação, e lá pegaria o telefone e ligaria para a polícia! Depois eu voltaria para o laboratório de computação e resgataria a revista do meu pai nos dez minutos que a polícia levaria para chegar, e BAM!! Eu iria virar um HERÓI e ficaria FAMOSO na cidade!

# IRADO!

Então, se o Tora quisesse tentar tirar uma comigo outra vez, ele teria de encarar uma boa briga.

Por quê?

* 214 *

Porque ele teria de LUTAR para abrir caminho em meio a minha multidão de amigos, fãs, caçadores de autógrafos e garotas bonitas a fim de mim!

A minha vida NUNCA mais seria a mesma. Não consegui conter o sorriso só de pensar nisso...

Imaginei meu trajeto até a secretaria. Calculei o tempo para chegar até lá: dois minutos e meio. No entanto, quando eu estava quase alcançando a saída de ar do corredor principal, me deparei com um probleminha.

Na verdade foram três probleminhas! RALPH, TUCKER e MOOSE! Eu me detive alguns metros antes para que eles não me vissem.

"Muito bem, o plano é o seguinte. Eu fico com a ala norte. Tucker, você fica com a oeste, e Moose com a leste. Agora vamos depressa! Precisamos achar aquele garoto antes que seja tarde demais!", Ralph ordenou. Então se apressou pelo corredor e desapareceu.

"Esta escola é ENORME! Nunca vamos conseguir achar aquele moleque!", reclamou Tucker. "A gente devia pegar os computadores e dar o fora daqui enquanto é tempo, mas o Ralph é tão teimoso que não vai escutar!"

"Esqueça o Ralph! Tenho uma ideia MELHOR!", disse Moose com uma piscadela.

* 216 *

*"CARA!! VOCÊ está pensando o que EU estou pensando?"*, indagou Tucker.

*"É isso aí, BRO! Seremos só VOCÊ e EU!" Moose deu uma risadinha.*

*"Maravilha!", Tucker exclamou.*

*"Vamos nessa! Precisamos fazer isso antes que o Ralph volte!", disse Moose conforme saía apressado.*

*"Ei, Moose! Espera!", gritou Tucker, correndo atrás dele.*

*Eu não fazia a menor ideia do que aqueles dois estavam tramando. Apesar de parecer que estavam planejando passar a perna no Ralph. Contanto que ficassem fora do meu caminho, eu não estava nem aí pra isso. Saí apressado pelo tubo de ventilação e, minutos depois, cheguei ao meu destino...*

*A SECRETARIA!! Foi quando percebi que os ladrões tinham apagado todas as luzes do colégio.*

\* 217 \*

*Abri a grade de saída de ar e pulei para o chão. Então corri até o telefone e liguei para a polícia. Olhei por cima do ombro com cuidado e sussurrei...*

## 22. COMO A "CINDERELA" PERDEU UM ~~SAPATINHO DE CRISTAL~~ TÊNIS

*"Desculpe! Mas DO QUE você está falando?!", disse uma mocinha muito irritada do outro lado da linha. "É um trote ou alguma coisa assim?"*

*"NÃO! NÃO É um trote! É uma EMERGÊNCIA! Humm, é da polícia?", perguntei, confuso.*

*"Desculpe,masaquiédaQueijinhoDerretido!Sevocêestiver tentandoligarparaapolícia,entãodiscouerrado!Adeus!"*

*"ESPERA!Nãodesligue!Estamostentandopedirumapizza! Epalitinhosdequeijo!",disseumavozqueparecefamiliar. "Tenho um cupom de trinta por cento de desconto."*

*"Não se esqueça das asinhas de frango!", uma segunda voz disse ao fundo, se intrometendo na conversa.*

*"Certo! E asinhas de frango também!"*

*Eram o Tucker e o Moose! Eu não podia acreditar que eles estavam mesmo pedindo uma pizza, palitinhos*

\* 219 \*

de queijo e asinhas de frango enquanto roubavam o colégio!

"Vou deixar o dinheiro em um envelope na porta da frente da Colégio South Ridge, basta deixar o meu pedido lá mesmo, tá bom? Estamos trabalhando até mais tarde. Você anotou tudo? Não quero que se confunda e mande o pedido errado", disse Moose.

"Com licença, mas é VOCÊ quem está fazendo CONFUSÃO! Você quer pedir uma pizza ou está em uma situação de emergência? Você precisa se decidir! Estou na hora da minha folga", a moça impaciente explicou.

"Quem falou em emergência?", perguntou Moose, começando a ficar irritado.

Tentei engrossar a voz: "Ei! Aqui é... humm... o ENTREGADOR de pizza! E estou em uma situação de emergência! Estou sem caixas... humm, para entregar... pizzas!"

"Ah, sério? Então DEVE ser o Michael quem está falando, não é? A minha melhor amiga, a Emily, disse que você terminou com ela hoje no almoço, sem motivo nenhum!", esbravejou a moça.

* 220 *

"NÃO sou o Michael! Eu sou o... humm, OUTRO entregador de pizza, tá bom?", menti.

"Não MINTA para mim, Michael! Você pode enganar a Emily, mas nem tente fazer isso COMIGO."

"Escuta aqui, mocinha! Quanto tempo vai levar para o nosso pedido chegar? Estamos MORRENDO DE FOME!", Moose reclamou.

"Hum, posso falar com o gerente, então?", pedi. "Sobre o meu, humm... problema com as caixas de pizza?"

"Você não PRECISA falar com o gerente, Michael! Você PRECISA falar com a EMILY!"

"Mas eu NÃO sou o Michael! E eu NÃO quero falar com a Emily!"

"Vamos receber a porção grátis de asinhas de frango apimentadas, como diz a propaganda na TV?!", perguntou Tucker.

"Sabe de uma coisa, Michael? Pode esquecer! A Emily já SUPEROU você!"

* 221 *

# EU SURTEI COMPLETAMENTE!!
# Eram o MOOSE e o TUCKER!

Eles estavam na sala do diretor, bem atrás de mim!

Eu corri, dei um pulo e entrei de uma vez pela saída de ar, no túnel de ventilação...

Bem quando o Tucker e o Moose entraram na sala!

Eles pareceram meio confusos quando deu a impressão de que eu tinha desaparecido no ar.

Finalmente Moose olhou para cima. "OLHA!!", disse ele, apontando. "O moleque está fugindo pela TUBULAÇÃO DE AR!!"

"Você NÃO vai escapar DESTA vez, seu...!!", gritou Tucker conforme corria pela sala para tentar me segurar pelos pés.

"TE PEGUEI!!!", berrou Moose, agarrando uma das minhas pernas.

Então os dois começaram a me puxar para fora da saída de ar.

Tentei me segurar com todas as minhas forças, mas não adiantou.

Eu não era páreo para eles...

* 224 *

Então, com as minhas últimas forças, rolei de costas e dei um chute muito forte com o pé direito.

"AI!!", Tucker gritou. "AI! AI! AAAAAIIIIII! DOEU!!"

Finalmente, eu estava LIVRE!!

Entrei rapidinho no tubo de ventilação e fechei a grade.

Quando virei para dar uma olhada, Tucker estava segurando meu tênis e Moose apontava para a cara de Tucker.

"Hum, CARA! Você sabia que está com uma marca de tênis na cara?" Moose riu.

Tucker jogou o tênis em mim com toda a força!!

## BAM!!

O tênis bateu na grade de ventilação, quicou e acertou em cheio o nariz de Moose.

"AAAAIIIII!", ele urrou de dor. "Por que você fez isso, Tucker? Acho que você quebrou o meu nariz!!"

* 226 *

"O que foi, bro?! NÃO tem mais graça?! Cara, você sabia que está com uma marca de tênis no nariz?", Tucker zombou.

Os dois viraram e me encararam.

Moose pegou o tênis e o balançou lentamente para a frente e para trás diante da saída de ar enquanto falava em um tom de voz agudo e debochado, tirando uma com a minha cara.

"Volte, Cinderela! Você perdeu o seu sapatinho! Não quer seu lindo calçado de volta? Volte, Cinderela!"

Então os dois caíram na risada.

Eu apenas revirei os olhos.

HA-HA! Muito ENGRAÇADO, pensei. Quase tão engraçado quanto a marca da sola do meu tênis na cara de vocês.

São e salvo no tubo de ventilação, engatinhei cerca de vinte metros, virei para a direita e segui por mais uns trinta metros.

* 227 *

A minha ligação para a polícia tinha sido interceptada.

Quase fui apanhado pelos ladrões.

Fiquei sem um tênis.

E fui chamado de Cinderela.

Meu Plano A tinha falhado.

Tinha chegado o momento de partir para o Plano B.

Mas, infelizmente, eu não tinha um!

## 23. O ATAQUE DA PRIVADA ASSASSINA!

Eu queria ficar o mais longe possível daqueles malandros.

E RÁPIDO!!

Depois do fiasco na secretaria, os três saíram à minha CAÇADA.

Eles estavam checando com lanternas cada saída de ar do corredor principal. Então tentar não ser apanhado por eles ficou muito MAIS difícil.

De repente me lembrei do último lugar que eu queria estar no colégio INTEIRO.

No banheiro dos meninos, que ficava no extremo sul!

O meu colégio era muito velho e tinha passado por várias reformas. Mas eles economizaram na hora de reformar aquele banheiro, por isso ele tinha teias de aranha e quase nunca era limpo.

E, uma vez que a maioria das privadas estava quebrada ou a descarga não funcionava direito, o lugar fedia a esgoto.

Mas eis a parte MAIS ESQUISITA sobre aquele banheiro!!...

Um cara da minha turma de educação física, chamado Carlinhos Dourados, afirmava que uma família de guaxinins selvagens vivia ali.

É, eu sei! Isso também soa muito ridículo para MIM.

Ei, não tenho certeza se guaxinins são ou não perigosos. Mas nenhum cara do colégio estava disposto a correr o risco de ser pego com a calça abaixa~~da quando aquela família de guaxinins voltasse pra casa de surpresa de um passeio pela floresta e o encontra~~sse ali!

Praticamente todo mundo já tinha escutado a famosa LENDA ESCOLAR sobre...

# CARLINHOS DOURADOS E OS TRÊS ~~URSOS~~ GUAXININS

\* 230 \*

Então, sim! Eu estava disposto a correr o risco de ser atacado por uma família de guaxinins nada amistosos.

Quando eu finalmente consegui chegar ao banheiro, ele estava muito pior do que eu me lembrava. Em vez de água, as privadas estavam cheias de um lodo preto e grosso parecido com lama.

## ECA!!

Tinha um aviso de "Quebrado" colado na parede, e alguém tinha escrito a palavra "MUITO" em cima e desenhado uma carinha triste embaixo.

Imaginei se o grafite era algum tipo de MENSAGEM cifrada.

Infelizmente, quando eu estava descendo pela saída de ar, meu pé escorregou e, sem querer, eu acionei a descarga.

Digamos que o que aconteceu em seguida ~~me deixou emocionalmente TRAUMATIZADO pelo resto da VIDA!!~~ foi totalmente INESPERADO!!...

* 232 *

EU, LEVANDO UM JATO DE LODO FEDORENTO!

ENTÃO EU CAÍ DENTRO DO LODO FEDORENTO!!

* 235 *

EU ODEIO MUITO MENSAGENS CIFRADAS ☹!

* 236 *

Eu fedia MAIS ~~do que um balde cheio de esterco de vaca~~
~~há dois dias sob o sol forte no meio do verão!~~ do que
qualquer coisa que eu já tinha sentido na vida!

E isso estava muito ERRADO!

De qualquer modo, havia uma boa e uma má notícia.

A boa era que, apesar da lenda escolar, não fui atacado
por um bando de guaxinins raivosos enquanto estava ali.

A má era que eu precisava dar um jeito de trocar de
roupa o mais rápido possível!!

Antes que o fedor horrível de lodo MATASSE de vez as
últimas CÉLULAS CEREBRAIS saudáveis que me restavam!

* 237 *

## 24. AZARADO, COBERTO DE LODO E FEDORENTO

Cheguei à conclusão de que rastejar pela tubulação de ar ia ser muito perigoso. Quando os ladrões sentissem o meu fedor, eles conseguiriam me seguir aonde quer que eu fosse só pelo cheiro.

E, se eles me encontrassem, eu viraria um DEFUNTO!!

~~O que seria uma ENORME coincidência, uma vez que eu já estava FEDENDO feito CARNIÇA!!~~

Dei o fora do banheiro e saí andando silenciosamente na ponta dos pés pelo corredor...

NHÉC! NHÉC! NHÉC! NHÉC!

Cada passo meu fazia um ruído irritante e deixava um rastro muito fedorento de lodo preto atrás de mim. Mal tive tempo de me esconder atrás de uma planta grande quando avistei os ladrões saindo da secretaria e entrando em um corredor adjacente.

* 238 *

*Ralph estava falando ao celular, mas seu rosto estava pálido e parecia que ele tinha acabado de ver um fantasma!*

*"Calma, Tina!! Por favor, querida! Eu sinto muito! Esqueci completamente que a sua mãe ia jantar com a gente!", ele balbuciava nervoso. "Não! Eu não estou tentando fazer desfeita para ela! Escuta, estou preso em uma reunião de trabalho e logo estarei em casa, tá?... Sim, eu também te amo, querida! Tchau."*

*Ralph pegou um lenço e enxugou o suor do rosto. "Odeio quando a Tina me interrompe quando estou tentando trabalhar!!", resmungou.*

*"A sua esposa é MALVADA, cara!", Tucker riu. "Ela é mais assustadora do que você!"*

*"Quem é o bebezão agora, hein?!", zombou Moose. "Ralph, você ficou TÃO assustado. E agora tá fedendo tanto que parece que borrou as calças!"*

*Não pude evitar de revirar os olhos! Na verdade, aquele CHEIRO era, humm... MEU!! Abaneio ar desesperadamente, tentando dispersar o mau odor.*

\* 239 \*

*"CALE A BOCA, CABEÇA-OCA!!"*, berrou Ralph. "Desliguei as linhas telefônicas, mas ainda precisamos achar aquele garoto! Ele é a única pessoa que pode nos identificar. Ainda não procuramos na ala sul. Por isso, vocês dois, pra lá agora!"*

*ALA SUL?!! Engoli em seco! Isso queria dizer que o Tucker e o Moose estavam vindo na minha direção.*

*Saí em disparada! NHÉC! NHÉC! NHÉC!*

*Tentei o vestiário masculino, mas a porta estava trancada. Droga!! Cruzei o corredor e dei uma espiada de canto de olho conforme meu coração martelava em disparada no peito!*

*"Ei, Tucker! Você ouviu um barulhinho?! Pode ser o garoto! Vem comigo!", exclamou Moose enquanto os dois tentavam acompanhar o ruído.*

*Segurei a respiração enquanto Moose e Tucker corriam a toda por outro corredor, na minha direção.*

*Eles estavam a uns cinco metros de distância quando o ouvi...*

\* 240 \*

*Era o RALPH! E ele estava furioso!!*

*Pelo jeito, o pedido que Moose e Tucker tinham feito na Queijinho Derretido tinha sido entregue.*

*E bem na hora. Quando ouviram que a pizza tinha chegado, os dois se distraíram e passaram batido pelo meu esconderijo! UFA! Essa foi por pouco!*

*Mas, pelo tom de voz IRRITADO do Ralph, eu diria que seria melhor eles CONTINUAREM correndo! Direto para a PORTA DE SAÍDA mais próxima!*

*De qualquer modo, ~~a gritaria e os xingamentos~~ confusão que rolava era tamanha que, pelo jeito, eu era a última das preocupações deles naquele momento.*

*O que significava que eles iam sair da minha cola pelos próximos dez minutos no mínimo, e assim iam dar um tempo para eu me recuperar e bolar outro plano.*

*Respirei aliviado e encostei na porta atrás de mim.*

* 242 *

Paraminhasurpresa,elaestavadestrancadaeabriusozinha.

Então resolvi entrar...

Sim, eu sei. EU SEI!! Você deve estar pensando...

# CARA, VOCÊ PERDEU O JUÍZO!!

# VOCÊ VAI ENTRAR NO VESTIÁRIO FEMININO?!!

# ISSO TÁ MUITO ERRADO!!

~~Desculpa! Mas graças a Deus, eu finalmente ia poder usar o banheiro!~~ eu estava tão CANSADO, tão DESESPERADO e com TANTO MEDO...

Que não estava nem aí!

## 25. POR QUE TINHA UM MENINO NO VESTIÁRIO DAS MENINAS

Escuta aqui, pessoal! Eu realmente preciso desabafar.

Só uma pessoa extremamente IMATURA seria capaz de ficar chocada porque um cara entrou no vestiário das meninas.

Não me leve a MAL! Foi uma EMERGÊNCIA! E eu só tinha DUAS opções:

1. Correr ~~PELADO~~ pelo colégio trajando o que vim ao mundo, ou

2. Tentar achar alguma roupa no reino proibido conhecido como VESTIÁRIO FEMININO.

Como eu disse antes, EU NÃO ESTAVA NEM AÍ!

Bom, preciso confessar uma coisa...

# EU MENTI!!!

* 245 *

*Só ENTREI no vestiário das meninas porque eu estava EM PÂNICO!*

*Por algum motivo, comecei a tremer feito LOUCO.*

*Não sei se era por causa da corrente de ar frio do ar-condicionado, ou se porque eu estava completamente PARALISADO diante do DESCONHECIDO FEMININO.*

*"Para com isso, Crumbly!", murmurei comigo mesmo. "É uma questão de VIDA OU MORTE!"*

*Mas eu não estava falando do Tucker, do Moose e do Ralph.*

*Se eu não tirasse logo a roupa coberta de lodo, o FEDOR iria me MATAR antes que aqueles caras conseguissem me pegar!*

*Peguei minha bombinha de inalação e apertei algumas vezes dentro da boca (prendendo a respiração).*

*Depois resolvi dar uma geral.*

*Bom, a boa notícia é que aprendi algo novo.*

* 246 *

O vestiário feminino parece muito com o vestiário masculino.

Acho que eu esperava ver um lugar cor-de-rosa cheio de fitas, cupcakes e bebês unicórnios!

Ei, e o que é que eu sei sobre garotas?!

Olhei em quase todos os armários, mas estavam vazios.

Não havia nem uma única peça de roupa em LUGAR NENHUM!

Foi quando comecei a entrar em pânico.

Qual é?! COMO é que aquilo podia estar acontecendo?!

Aquele não era o VESTIÁRIO DAS MENINAS, pelo amor de Deus?!!

Eu estava começando a perder as esperanças ~~e chorar~~.

Mas, por sorte, encontrei a mina de ouro em um dos armários na parede do fundo...

* 247 *

MARAVILHA! Eu mal podia esperar para me livrar dos meus trapos "Cocô Chanel"!

Eu planejava jogá-los no lugar ao qual pertenciam. NA PRIVADA!

Foi mal, seu zelador! Isso é só licença poética.

Dei uma olhada na roupa e, no mesmo instante, me dei conta de que estava diante de uma crise fashion.

~~Por que as roupas das meninas precisam ser tão, hum...~~
~~DE MULHERZINHA?!~~

Era um macacão brilhante azul-bebê, com uma capa metálica prateada e um cinto grosso!

Pelo jeito o tecido de malha brilhante ultraelástico esticava tanto que caberia em ~~mim e mais três~~ ~~jogadores do time de fute~~bol.

Havia uma saia decorada com lantejoulas e flocos de neve cintilantes dobrada na prateleira de cima, e era ali que eu pretendia deixá-la.

\* 249 \*

Desculpa, mas aquela roupa era um DESASTRE TOTAL! Só faltava um TAMPÃO DE OLHO de purpurina rosa para completar o visual. Assim eu não teria de ME ver daquele jeito.

Notei também que os sapatos dentro de um saquinho estavam marcados com a letra E. Conheço poucas mulheres cujos nomes começam com aquela letra, como Erma, Edna e Ethel.

Obviamente, seus nomes NÃO SÃO muito POPULARES entre as adolescentes quanto o nome Erin, mas eu tinha aulas em casa antes, lembra?

E Erma, Edna e Ethel são umas senhorinhas simpáticas que frequentam a casa da minha avó e jogam bingo aos sábados no clube da terceira idade.

~~Eu mencionei que a Ethel faz umas bolach~~inhas ~~amanteigadas MUITO BOAS?~~

De qualquer modo, vi um maço de papéis no chão do armário. Era o roteiro da peça A princesa do gelo e a lista de atores. A única pessoa na lista cujo nome começava com E era Erin!

* 250 *

Portanto, não restava dúvida! Eu estava *INVADINDO* o armário de vestiário da Erin Madson!! NÃÃÃÃÃOOOO!!

Aquilo me deixou MALUCO! Fiquei vermelho de vergonha e fechei a porta do armário com um baque.

Claro que eu estava me sentindo muito ESQUISITO por pegar emprestada a rou~~pa da minha cr~~ush de outra aluna.

Mas eu PRECISAVA me livrar das minhas peças molhadas, suadas, fedidas e cobertas de esgoto, porque muito provavelmente eram uma AMEAÇA BIOLÓGICA!

~~E se eu estivesse carregando bactérias mais mortais do que as da PESTE BUBÔNICA no bolso da blusa?! Eu poderia acabar ANIQUILANDO sem querer toda a RAÇA HUMANA!~~

Assim, ~~numa tentativa heroica de salvar o mundo,~~ resolvi pegar a fantasia de Princesa do gelo da Erin.

Se eu levasse à lavanderia e colocasse de volta no armário depois de usar, ela nunca notaria que a roupa tinha saído dali.

* 251 *

Agora eu precisava arrumar um par de sapatos.

Apesar de meu novo apelido ser Cinderela, eu NÃO estava considerando calçado, humm... um sapato de salto cinco, com pedrinhas brilhantes e todo de princesinha.

SIM, É FOFO! MAS NÃO É A MINHA CARA.

Tive mais sorte na caixa de achados e perdidos.

Achei um par de botas de couro com fivelas, perfeito para andar de moto...

Mas essa nem foi a MELHOR parte!

Achei também um TELEFONE CELULAR! E estava funcionando! DEMAIS!

Resolvi pegar emprestado por um tempo, para o caso de alguma coisa dar errado e eu REALMENTE precisar usar. O fato de ter um telefone tirou um peso dos meus ombros — depois que eu conseguisse pegar a revista em quadrinhos do meu pai, eu poderia usá-lo para ligar para a polícia.

Troquei de roupa rapidinho e tentei não pensar no fato de que eu estava usando as roupas da Erin. Apesar de saber que muito provavelmente eu estava ridículo, não resisti à tentação de me olhar no espelho de corpo inteiro que havia ali ao lado.

"Uau!", murmurei comigo mesmo, surpreso.

Sim, provavelmente iriam rir de mim ou me dariam um soco na cara se eu fosse visto daquele jeito no colégio.

Mas com certeza eu seria muito elogiado e ganharia vários cumprimentos na COMIC-CON!

* 254 *

Quando me vi no espelho, minha cabeça não explodiu como eu pensava que aconteceria.

Eu meio que parecia uma versão do ensino fundamental do Homem-Aranha. Só que de capa e com botas de arrasar.

O mais estranho é que de repente comecei a me sentir inteligente, forte, confiante e meio que.... com SUPERPODERES!

~~Mas concordo totalmente com você. Provavelmente eram os efeitos colaterais psicológicos por ter inalado aqueles odores TÓXICOS de esgoto.~~

Eu estava muito surpreso comigo mesmo por ter conseguido manter a calma, sair do meu armário, circular pelo vasto sistema de ventilação do colégio e ainda ter enganado uma quadrilha de ladrões.

E eu nem tinha conseguido me MATAR. AINDA!

Portanto, sim, Max C. tem SUPERPODERES! Sem dúvida!

\* 256 \*

Meu próximo desafio era descobrir o que fazer com todas as minhas coisas.

A fantasia tinha um bolso traseiro que supostamente era para colocar o receptor do microfone.

A roupa era bem justa, mas consegui arrumar lugar para o meu diário, a bombinha de inalação e o celular.

Como não havia espaço para a minha lanterna, eu a enfie no cano da bota.

FINALMENTE! Eu estava pronto para dar início à minha MISSÃO de recuperar a revista em quadrinhos do meu pai e impedir que os ladrões roubassem os computadores do colégio.

Mas tinha uma coisa que eu ainda não estava preparado para enfrentar: uma voz estranha atrás de mim que disse...

# "ALÔ?!"

* 257 *

## 26. O PIOR. TOQUE DE CELULAR. DE TODOS OS TEMPOS!!

Até onde eu sabia, as únicas pessoas, além de mim, no prédio eram o Tucker, o Moose e o Ralph. Por isso eu esperava ouvir apenas vozes masculinas gritando e falando COISAS FOFAS sobre como estourar a minha cara! Mas aquela era uma voz de MENINA!

"Alô?!", ela disse outra vez.

Eu congelei e olhei nervoso ao redor.

"Quem d-disse isso?! Quem e-está aí?!", gaguejei.

A única coisa que vi foi uma enorme barata morta. Tremi da cabeça aos pés. ECA! Há algumas semanas, desde que os novos vizinhos da minha avó se mudaram, desenvolvi uma fobia a baratas. Deve ser porque o pai da família dirige uma van assustadora com uma barata enorme em cima.

~~E, sempre que passo por aquela coisa, eu meio que espero que ela me pegue e coma a minha cabeça, feito um louva-deus maligno ou algo assim. Ei, não tem graça! Cara, tive uns pesadelos muito ASSUSTADORES!~~

\* 258 \*

Mas insetos não falam. Especialmente os MORTOS.

Foi quando a voz de menina surgiu outra vez: "Alô?!QUEM é?!"

Foi quando me dei conta de que a voz estava perto. MUITO perto! Tipo, bem ATRÁS de mim. Girei apavorado, mas não havia ninguém. Certo, isso era INSANO! Será que o vestiário das meninas era assombrado? Ou será que meu PIOR pesadelo tinha se tornado realidade?

"Ah, não!", soltei um grito histérico. "Estou ouvindo vozes! Aqueles gases TÓXICOS do esgoto mataram as poucas células cerebrais que ainda me restavam! E agora meu cérebro está irreversivelmente lesionado!"

"Fala sério!! Bom, essa é uma desculpa muito ESFARRAPADA por ter roubado meu celular e ainda tentar me passar um trote", comentou a garota, cheia de sarcasmo. "Mas com certeza você tem algum problema."

Foi quando percebi que a voz NÃO ESTAVA vindo de dentro da minha cabeça. Ela estava vindo do...

# MEU TRASEIRO?!

* 259 *

*No mesmo instante peguei o celular do bolso de trás e fiquei olhando para ele. Então ela disse...*

"Hum... alô?!! DESCULPE por tudo isso! Não queria ter ligado pra você. Foi sem querer. Sério!", eu me desculpei. "TCHAU!"

Em seguida cliquei no botão vermelho para encerrar a ligação.

Problema resolvido.

"EI, CHEFE! VEM DAR UMA OLHADA NESTAS PEGADAS DE LAMA! APOSTO QUE SÃO DAQUELE GAROTO!", alguém gritou do corredor.

Era o TUCKER! Os ladrões estavam na minha COLA OUTRA VEZ!

De repente o celular começou tocar uma música melosa de alguma boy band!...

"EI, GAROTA! O QUE UNE A GENTE É O NOSSO EGO! TE AMO MAIS QUE A MINHA CAIXA DE LEGO!"

Eu me encolhi. O PIOR. TOQUE DE CELULAR. DE TODOS OS TEMPOS!

A maioria das garotas, incluindo a minha irmã, Megan, tem ouvido SEM PARAR essa música desde que foi lançada, algumas semanas atrás. Eu ODEIO! ~~Eu poderia comer um prato de sopa de letrinhas e vomitar uma letra melhor!~~

* 261 *

*Mas, por favor, não conte para a TALIFÃ da minha irmã que eu disse isso! ~~Ela seria capaz de amassar o meu crânio como se fosse uma caixinha de suco~~ vazial*

*Atendi rapidamente a ligação, mais para pôr um fim àquela música medonha. "ALÔ?!"*

*"NÃO acredito que você desligou na minha cara!", disse a garota friamente.*

*"Escuta, não posso falar agora!", falei, começando a me irritar. "Estou muito ocupado, tá bom?"*

*"Me deixa adivinhar! Ocupado roubando mais celulares?!", retrucou ela.*

*"Eu não ROUBEI o seu celular! QUEM está falando?"*

*"Como assim, QUEM tá falando? Quem é VOCÊ?", ela rebateu. "É MUITA cara de pau ligar para a minha casa para passar um trote!"*

*"Não liguei de propósito. Devo ter apertado o botão sem querer. Achei seu telefone na caixa de achados e perdidos no vestiário*

\* 262 \*

feminino. Só estou pegando emprestado, tá bom? Depois que eu usar, vou colocar de volta aonde estava. Eu prometo! Tchau!"

**CLIQUE!** Desliguei na cara dela outra vez. Problema resolvido!

"ALGUMAS DESSAS PEGADAS LEVAM PARA O VESTIÁRIO MASCULINO!! APOSTO QUE ELE AINDA ESTÁ LÁ DENTRO!", berrou Moose.

Agora eles estavam do outro lado do corredor. Corri para trancar a porta, mas não tinha chave. AH, DROGA!!

O telefone começou a tocar aquela música idiota outra vez...

"EI, GAROTA! O QUE UNE A GENTE É O NOSSO EGO! TE AMO MAIS QUE A MINHA CAIXA DE LEGO!"

Olhei de um jeito nervoso para a porta, torcendo para que os ladrões não tivessem ouvido isso, e atendi a ligação. "ALÔ? Sinto muito por você ter perdido o seu celular. Mas você precisa PARAR DE ME ligar, tá bom?"

"O QUE você está fazendo no VESTIÁRIO DAS MENINAS?!", berrou a garota. "Pensando bem, não quero saber a resposta!"

\* 263 \*

*"Não é o que você está pensando! Eu só estava precisando de umas... Esquece. Escuta, vou desligar agora. Mas, POR FAVOR, não ligue outra vez. Desse jeito vão acabar me MATANDO!", sussurrei irritado. "É meio que uma emergência. Estou lidando com uns ladrões muito perigosos! E não quero que eles escutem seu celular tocando!"*

*"LADRÕES?!! Sério?!", exclamou a garota. "Você devia ter me dito antes. Vou ligar para a polícia. Onde você está?! Eles vão precisar do endereço."*

*"NÃO! POR FAVOR, NÃO FAÇA ISSO! Agora não. E, além do mais, eu não falei 'ladrões', eu falei... humm, PALHAÇÕES!!"*

*"PALHAÇOS PERIGOSOS?! Cara, você está precisando de ajuda! Mas NÃO da polícia!"*

## BAM! BAM! BAM!

*Agora os homens estavam batendo na porta do vestiário dos meninos, do outro lado do corredor! "Isso é INSANO!", murmurei enquanto dava uma espiadinha...*

\* 264 \*

OS LADRÕES, TENTANDO ME FAZER ABRIR A PORTA DO VESTIÁRIO MASCULINO!

* 265 *

"É, MOLEQUE! VOCÊ PODE ATÉ CORRER, MAS NÃO PODE SE ESCONDER! SOMOS MUITO MAIS ESPERTOS DO QUE VOCÊ! DESISTA!", berrou Tucker.

Moose esgoelou feito um porco: "CINDERELA, ABRA A PORTA! ESTOU COM O SEU SAPATINHO! VOCÊ NÃO QUER SEU SAPATINHO, CINDERELA?!"

"CHEGA! CANSAMOS DESSA BRINCADEIRA, SEU PEQUENO PUNK!", Ralph esbravejou. "A SUA VIDA ESCOLAR VAI TERMINAR ANTES DO FIM DESTA NOITE, GAROTO! PARA SEMPRE!!"

"Escuta, não quero me intrometer na sua vida", a garota falou. "Mas parece que você está metido numa BAITA encrenca. Você ainda está no COLÉGIO até agora? POR QUÊ...?! COMO...?!"

"Hum... você acredita que foi... um acidente?", murmurei.

"Acidente?! Espera! HUMM! É o MAX CRUMBLY que está falando?! Aqui é a Erin!"

* 266 *

"E-erin?!", gaguejei. "E aí? Lembro de você ter dito que estava procurando alguma coisa, mas eu não sabia que era o seu telefone. Bom, eu... humm, encontrei ele pra você..."

# BAM! BAM! BAM!

"ABRA, GAROTO! VAMOS ARREBENTAR A PORTA SE VOCÊ NÃO ABRIR!", berrou Ralph.

"Então você ESTÁ lidando com LADRÕES! Estou ouvindo os gritos e a maior barulheira. Por favor, diga a verdade!", disse Erin.

"Ah! Você quer dizer... AQUELES ladrões?!", soltei uma risada nervosa. "Acho que é meio exagerado dizer que são perigosos. Só começamos com o pé esquerdo! Mas não se preocupe, está tudo sob controle."

"Você espera que eu acredite NISSO?!"

"Nossa, Erin! Eu adoraria continuar falando com você, mas, infelizmente, vou ter que desligar na sua cara outra vez! TCHAU!"

* 267 *

Enfiei o telefone de volta no bolso de trás.

Então olhei para a porta destrancada.

Eu não ia conseguir passar DESPERCEBIDO por aqueles três brutamontes.

A minha situação não tinha solução. Eu estava cercado.

"QUE MARAVILHA!! NUNCA vou conseguir sair daqui VIVO!", resmunguei em voz alta.

"Hum, você sabe que eu AINDA estou aqui, certo?" disse a Erin.

OOPS! Acho que me esqueci de clicar no botão vermelho de "desligar".

"MAX, NÃO DESLIGUE! VOU LIGAR PARA A POLÍCIA! AGORA MESMO!"

## 27. FALTAM ALGUNS PARAFUSOS?!
## FALA SÉRIO!!

A primeira coisa que a polícia faria seria entrar em contato com meus pais. Depois eu teria de explicar ONDE eu tinha passado a tarde toda, COMO eu tinha acabado preso dentro do armário, QUEM tinha feito isso comigo e POR QUE a revista em quadrinhos do meu pai estava no colégio.

Muito em breve eu seria o ÚNICO aluno do oitavo ano do ensino fundamental no MUNDO TODO bebendo suco em copo de canudinho, tirando soneca em um tapete peludo depois do almoço e ESTUDANDO EM CASA com a minha AVÓ!

Sinto muito, mas Max C. NÃO ia voltar para aquilo!! Tempos desesperados exigem medidas desesperadas, como talvez dizer a... VERDADE!!

"Espera, Erin! POR FAVOR! Não ligue para a polícia!", implorei. "Vou ser sincero com você, tá? Aqueles ladrões estão com algo muito valioso que pertence ao meu pai. Fui um idiota por ter trazido isso para o colégio mesmo depois de ele ter me avisado. Você faz ideia do tamanho da

\* 269 \*

encrenca em que estou metido?! E, para piorar as coisas,
meus pais vão me tirar dessa escola. Eu estava começando
a gostar daqui. Bom, tirando o Tora Thurston! E o fato de
eu não ter nenhum amigo aqui. Também estou cansado e
exausto de ficar preso DENTRO do meu armário. Certo, na
verdade... ODEIO ESTE COLÉGIO IDIOTA! Mas ODEIO ainda mais
estudar em casa com a minha AVÓ! E se eu tiver que ir
embora pelo menos quero impor as minhas condições..."

Sim, EU SEI! Parece bem PATÉTICO. Mas eu precisava
convencer a Erin a NÃO ligar para a polícia, ou a minha
vida estaria ACABADA! Continuei...

"Meu plano é pegar de volta o que pertence a meu pai
ANTES que a polícia se envolva. Só preciso de quinze
minutos. Talvez MENOS do que isso! Você poderia me dar
uma chance? CONFIE em mim."

De repente, tudo ficou muito silencioso do outro lado da
linha. Será que a Erin tinha desligado? "Alô! Você ainda
está aí? Não? Não a culpo por isso. Eu também não
perderia tempo falando COMIGO mesmo...", resmunguei.

Então ouvi um suspiro profundo.

* 270 *

"Max Crumbly! Até agora você não me deu motivo nenhum para confiar em você! Você é desastrado e completamente fora da realidade. Sinceramente, acho que faltam alguns parafusos na sua cabeça!"

## AI!! Essa DOEU!!

"Mas... eu vou confiar em você. Só porque você é meu amigo", ela completou.

UAU!! A Erin Madison tinha acabado de me chamar de AMIGO?!

"Mas tenho DUAS CONDIÇÕES!", ela completou. "Primeiro, você vai ter que me deixar ajudar. Posso usar o novo sistema remoto de controle de câmeras e luzes do colégio para seguirmos os ladrões. Assim podemos ao menos ver e ouvir o que estão falando."

"Espera! Você está dizendo que o colégio tem câmeras de segurança?!", perguntei chocado. "NÃO ACREDITO!"

Eu me encolhi todo só de pensar no pessoal assistindo aos vídeos no celular e rindo dos meus colapsos e das minhas trapalhadas vergonhosas na hora do almoço de terça-feira...

* 271 *

TODO MUNDO RINDO DO MEU VÍDEO MALUCO NO REFEITÓRIO!

"Bom, ainda não está funcionando no colégio todo. Estão instalando aos poucos enquanto a Associação de Pais e Mestres arrecada mais dinheiro", a Erin explicou. "Mas será melhor do que nada. Teremos o áudio e as imagens, e eu posso controlar as luzes e o sistema de auto-falantes e outras coisas. Só preciso da senha de acesso."

"Ah, é só disso que você precisa? Só da senha de acesso! Parece bem simples!", falei num tom sarcástico.

"Bom, sr. espertinho, como presidente do clube de computação, tive de ir à secretaria para pegar a senha para o nosso site. Na verdade, vi o diretor entrando na sala dele e pegando a senha em um papelzinho colado embaixo do troféu de boliche. Desconfio que todas as senhas estejam anotadas naquele papel. Você acha que consegue pegar?"

"Sério? Um troféu de boliche?! Pode contar com isso!", respondi.

"Agora, a minha segunda condição", continuou Erin. "É muito importante... NÃO OUSE DESLIGAR NA MINHA CARA

* 273 *

*OUTRA VEZ!! Coloque o telefone na opção vibrar. E, se você não atender no terceiro toque, vou entender que está com problema e vou ligar para a polícia! DE ACORDO?!"*

*"Qual é?! Acabei de explicar isso!", protestei.*

*"A escolha é sua, Max! É pegar ou largar!"*

*"Você não é um pouco MANDONA?!", disparei de volta.*

*"Sim! Vinte e quatro horas por dia, sete dias por semana! A minha música preferida é 'As meninas mandam!! Os meninos babam!!'. Tenho certeza de que você já deve ter ouvido."*

*"Sim, eu já ouvi. Mas NÃO tanto quanto aquela porcaria de 'Lego Love'! Desculpa, Erin! Prefiro o barulho da descarga ao toque do seu celular! Mas... sim, DE ACORDO", concordei contrariado. Como se eu tivesse escolha...*

*"E, Max... só mais uma coisa...", disse Erin, hesitante.*

*"Mas você disse que eram só DUAS condições."*

\* 274 \*

"Por favor, SE CUIDA! Ou juro que vou até aí... e MATO VOCÊ!! Entendeu?! Ops! Acho que meus pais acabaram de voltar do cinema. Envie um e-mail com a senha o mais rápido possível! Te ligo em dez minutos, tá?"

**CLIQUE!!** A Erin desligou antes mesmo que eu pudesse responder.

Enquanto eu colocava o telefone no modo vibrar e o enfiava no meu bolso traseiro, percebi que agora eu estava com ainda mais MEDO das garotas do que ANTES. E de UMA em específico.

Erin Madison era tão ESPERTA que chegava a ser ASSUSTADORA!

De repente tive uma ideia brilhante. Saí vasculhando o vestiário. Exatamente como eu desconfiava, havia uma saída de ar em cima dos armários, na parede dos fundos.

**UH-HU!** Senti vontade de fazer a minha dancinha da vitória!

Eu mal tinha terminado de entrar na tubulação de ar quando Moose, Tucker e Ralph invadiram o vestiário das meninas feito LOUCOS...

\* 275 \*

ESCAPEI DOS LADRÕES POR UM TRIZ!

"JURO que ouvi alguma coisa aqui!", exclamou Tucker. "VozesE músicalMooseachouqueestavavindodovestiário masculino, mas para mim parecia vir daqui."

Ralph encarou Tucker. "Por que NÃO estou surpreso por você estar ouvindo coisas?! Você deve ter se ESQUECIDO de tomar seus REMÉDIOS outra vez!"

"Eu NÃO sou louco, Ralph! Sei bem o que ouvi! Era a minha música preferida. Sabe, aquela de uma banda que fala assim: 'Ei, garota! O que une a gente é o nosso ego! Te amo mais que a minha caixa de Lego!'", Tucker cantarolou, muito fora do ritmo.

"PARA DE CANTAR! VOCÊ VAI ESTOURAR OS MEUS TÍMPANOS!", berrou Ralph.

De repente, Moose pareceu muito ansioso. "Escutem aqui. Talvez tenham fantasmas nesta escola! Vi um documentário na TV sobre FANTASMAS, e alguns são... REAIS! Acho melhor a gente ir embora..."

O Ralph ficou MUITO bravo, parecia que seus olhos estavam praticamente saltando do rosto.

* 277 *

*"ESPERO que eles sejam de VERDADE!! Sabe POR QUÊ? Porque aí eu iria DEMITIR vocês, que não passam de IDIOTAS, e CONTRATARIA os FANTASMAS!! Então eu finalmente poderia voltar ao trabalho, PEGARIA AS PORCARIAS DOS COMPUTADORES E SEGUIRIA COM A MINHA VIDA MALDITA! TUCKER! MOOSE! NÃO TEM NADA NESTE LUGAR!! NENHUMA VOZ! NENHUMA MÚSICA! NENHUM FANTASMA! VOCÊS ENTENDERAM?!"*

*"Sim, chefe", Tucker e Moose responderam mal-humorados.*

*Foi então que o celular do Ralph tocou. Ele deu uma olhada e franziu a testa.*

*"XIIIII! É a TINA outra vez!! Ela tá ficando DOIDA! Como vou conseguir terminar meu trabalho com ela me ligando a cada cinco minutos para dar bronca por causa da mãe?! Esqueçam o garoto. Ele é inofensivo. Vamos pegar os computadores e dar o fora daqui. Antes que a TINA tenha um TRECO!!"*

*"Escuta, chefe, como não vamos mais perder tempo procurando o garoto, podemos pelo menos COMER a PIZZA agora? Está esfriando!", Moose choramingou.*

* 278 *

"É!", concordou Tucker. "As asinhas de frango também estão esfriando!"

"NÃÃÃOOO!!", berrou Ralph. "Que parte do 'NÃO' os tontos não entenderam?!"

Moose encarou Ralph. "Bom, a tia TINA vai ficar MUITO brava quando souber que você não deixou os sobrinhos favoritos dela jantarem!"

Tucker cruzou os braços e fez uma careta para Ralph. "Isso mesmo! E a tia Tina já está MUITO, MUITO brava com você!"

A cor do rosto de Ralph sumiu. Parecia que ele estava prestes a ter um ataque!

Honestamente! Se burrice fosse crime, aqueles caras pegariam prisão PERPÉTUA!! Tucker, Ralph e Moose ainda não sabiam, mas, se as coisas seguissem conforme o planejado, TINA e a PIZZA fria iam ser o MENOR dos problemas deles!

* 279 *

## 28. COMO ENCONTREI O POST-IT FATÍDICO

Eu estava feliz porque a Erin tinha concordado em me ajudar. Acho que isso significava que éramos AMIGOS outra vez.

# MUITO LOUCO, né?!

Talvez eu entre para o clube de computação depois disso e assim a gente vai poder ficar junto depois da aula.

Mas não me leve a mal!

Como eu disse, NÃO estou a fim dela nem nada. Mal conheço a garota.

E sim, eu realmente precisava ter contado para ela que, além do celular, eu TAMBÉM tinha pegado sua fantasia de princesa do gelo.

Mas, como ela estava muito traumatizada porque a peça tinha sido cancelada, eu poderia guardar SEGREDO sobre isso por mais um tempinho.

* 280 *

Eu sei. EU SEI! Você NÃO precisa me dizer nada.

Certo, pessoal, vamos falar isso todos juntos...

CARA! ISSO TÁ MUITO ERRADO!

De qualquer modo, acho que dei tanta canseira nos ladrões que eles FINALMENTE desistiram de tentar me pegar.

Fiquei um pouco OFENDIDO por eles terem dito que eu era INOFENSIVO. Fala sério!

~~O que sou eu?~~ UM SER INSIGNIFICANTE?!

Posso até não ser tão MAU quanto o Ralph, FORTE quanto o Moose, ou ESTÚPIDO como o Tucker.

Mas eu TINHA uma passagem secreta do meu armário para o sistema de ventilação, o que me dava acesso SECRETO ao COLÉGIO TODO!

EU PODIA DOMINAR ESTE LUGAR INTEIRO! SÉRIO!

* 281 *

Meu plano era espionar os ladrões e seguir cada passo deles até ter a oportunidade perfeita para descer e pegar a revista em quadrinhos do meu pai.

Depois eu ligaria para a polícia e pediria ajuda.

A boa notícia era que a minha roupa nova facilitou um bocado a movimentação dentro do sistema de ventilação.

Mas engatinhar estava virando coisa do passado.

Eu estava precisando era ganhar...

# VELOCIDADE!!

Eu estava passando pela saída de ar do depósito do zelador quando resolvi dar uma espiada ali dentro.

Foi quando vi o equipamento PERFEITO...

* 282 *

# ERA MEIO QUE UM SKATE TAMANHO FAMÍLIA TURBINADO!

Ele tinha rodinhas de borracha macias, antiderrapantes, com quatro centímetros de largura, totalmente silenciosas, e, o mais importante, ele era...

# SUPER-RÁPIDO!!!

Agora eu podia ir de uma ponta do colégio a outra em MENOS de sessenta segundos...

# ZUUUUUUM!!!

Eu estava andando TÃO rápido por aqueles túneis que parecia que eu estava...

# VOANDO!!!

## Foi a coisa mais IRADA do MUNDO!

Eu me senti, tipo, um SUPER-HERÓI MIRIM de verdade!

Eu estava combatendo o MAL e a INJUSTIÇA nos corredores ÚMIDOS, SOMBRIOS e às vezes PERIGOSOS do colégio de ENSINO FUNDAMENTAL!!

Daqui para frente tudo iria mudar na minha vida.

Começando pelo meu ARMÁRIO!

Tirei o meu cadeado de senha e o prendi EMBAIXO do PUXADOR com um clipe de papel, de tal forma que parecia estar sempre trancado.

Como agora eu podia abrir a porta por dentro, eu NUNCA, em hipótese alguma, ficaria trancado OUTRA VEZ!!

~~DESCULPA AÍ, TORA!~~

~~SEGURA ESSA!~~

Fiz a minha DANCINHA DA VITÓRIA e voltei fazendo o moonwalk pelo corredor rumo ao tubo de ventilação.

Minha próxima missão era conseguir a senha para a Erin.

O que, infelizmente, significava BISBILHOTAR na...

\* 286 \*

SALA DO DIRETOR!!

Eu DEFINITIVAMENTE poderia pegar vários dias de castigo depois da aula ou ser expulso do colégio por entrar na sala do diretor sem autorização.

O que significava voltar a estudar em casa com a minha avó.

Comecei a suar frio só de pensar.

Tive de resistir à tentação de entrar no computador do diretor e preencher o formulário de transferência do Tora para outra escola.

## Na SIBÉRIA!!

Avistei um troféu de boliche esquisito em cima da mesa, igualzinho ao que a Erin tinha descrito.

Peguei cuidadosamente o objeto e o virei de cabeça para baixo.

No fundo tinha uma ficha com uma lista de senhas!...

* 288 *

## MISSÃO CUMPRIDA!

Tirei uma foto do papel com o celular da Erin. Depois descobri o endereço de e-mail dela ali e enviei.

_Eu já tinha colocado a ficha de volta embaixo do troféu e estava de saída quando avistei vários post-its amarelos colados na beirada do monitor do computador._

_Infelizmente, um deles era sobre MIM!..._

> PARA: Diretor Smith
> DE: Kathy W.
> ASSUNTO: MAXWELL CRUMBLY, oitavo ano
>
> Max chegou atrasado hoje, perdeu o teste de matemática e parecia aborrecido com algo. Os pais dele pediram para avisar sobre quaisquer problemas.
>
> Talvez fosse bom ligar para eles na terça e agendar um horário?

_PROBLEMAS?! Que problemas?! Não estou com PORCARIA de problema nenhum!!_

_Consegui SOBREVIVER ao Tora e a três criminosos!_

_E agora o DIRETOR ia DEDURAR tudo para os meus PAIS?!_

\* 290 \*

# DÁ UM TEMPO!

Fiquei olhando para o bilhete. E se ele apenas desaparecesse? Provavelmente o diretor nem tinha visto ainda.

**Sim, eu sei!** Pegar algo que não me pertence não é correto e poderia ACABAR com a minha vida.

~~Se bem que voltar a estudar em casa e comer BISCOITOS em formato de bichinhos até VOMITAR também iria acabar com a minha vida~~.

PEGUEI o post-it, dobrei e guardei no bolso.

Depois corri, subi na cadeira, pulei no assento fofinho e entrei de cabeça no tubo de ventilação, feito um ninja.

**DESCULPA AÍ, diretor Smith!**

Mas Max C. não ia se deixar abater tão fácil assim!

\* 291 \*

# 29. A ASSUSTADORA DESVENTURA DE UM GAROTO NADA COMUM!! (DESCULPEM AÍ, CARAS! FOI MAL!)

A Erin devia ter outro celular, pois recebi uma mensagem dela...

Obrigada pela senha ☺. Consegui o acesso remoto! Ligo em 2 minutos.

Eu precisava achar um lugar reservado o mais longe possível do laboratório de computação para falar com ela sem que ninguém ouvisse.

Um lugar como, talvez... A SALA DAS CALDEIRAS!!

Ela ficava no extremo oeste da escola, por isso disparei pelos túneis de ventilação. Eu precisava virar uma à esquerda, duas à direita e depois uma à esquerda. Ou seria uma à direita, duas à esquerda e depois uma à direita? Eu estava em dúvida, mas não ia esquentar com isso.

Ei! O que poderia dar errado quando se está voando a toda velocidade feito um foguete pelos tubos de ventilação?!!...

* 292 *

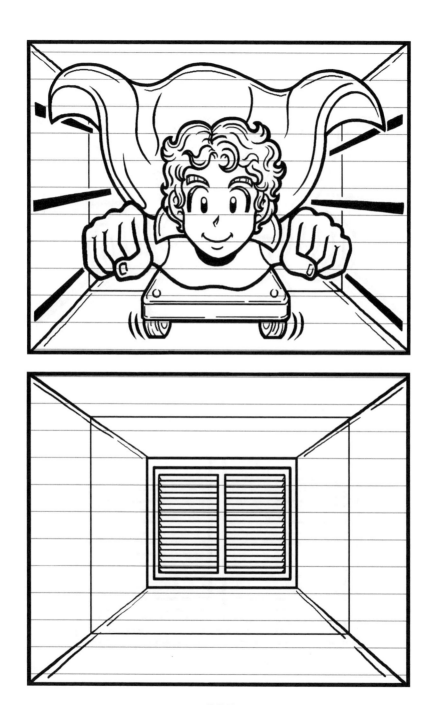

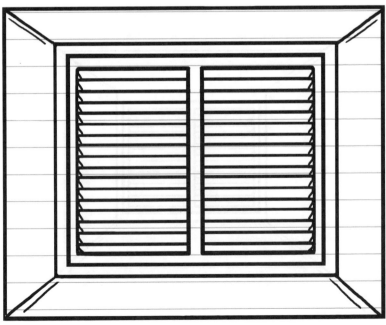

* 294 *

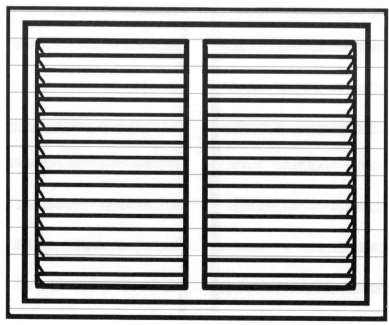

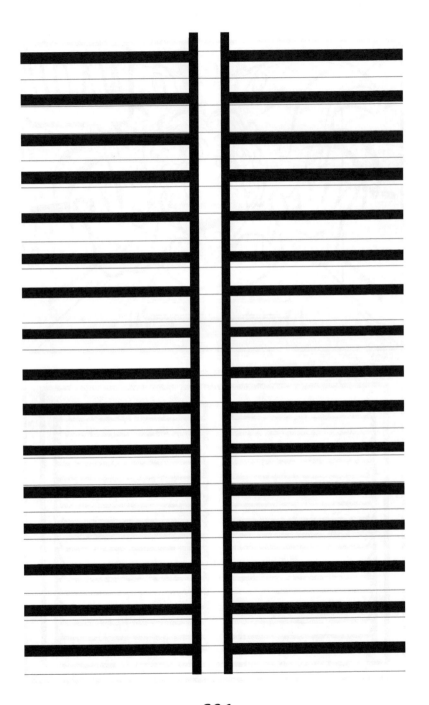

* 296 *

Certo, se isto fosse uma revista em quadrinhos de super-herói, provavelmente as coisas teriam acontecido assim:

# SANTO PEPPERONI!

Dá última vez em que vimos nosso herói, ele saiu voando a cento e cinquenta quilômetros por hora pelo sistema de ventilação, apanhou de surpresa seus arqui-inimigos e ACABOU com o jantar deles!

Será este o FINAL da desventura do nosso herói, Max Crumbly?!

Será que a pequena gênia da computação, Erin, vai conseguir ajudá-lo a sair desta tremenda ~~E GRUDENTA~~ enrascada?!

~~Será que ele vai~~ **COMER** ~~aquela fatia de pizza?!!~~

Será que o nosso bravo herói vai conseguir sair VIVO do Colégio South Ridge?!

Ou será que ele está FADADO à destruição como uma fatia gordurosa de linguiça sobre uma BORDA DE PIZZA mal assada?

Aposto que você não consegue acreditar que vou deixá-lo no ar, como fazem na minha revista em

\* 301 \*

quadrinhos preferida! Desculpa, mas tudo o que posso dizer é...

# DEPOIS CONTINUA...!!

Agora você já sabe um pouco sobre mim e a minha vida maluca. Ei, eu GOSTARIA que tudo isso fosse invenção minha!

Ainda não descobri se é mais difícil ser um super-herói ou um aluno de ensino fundamental bem educado, excluído e esquisitão ~~conhecido como GORFO!~~

~~SIM! EU SEI que PISEI FEIO NA BOLA!~~ ~~AINDA estou tentando me ACOSTUMAR com essa coisa de SUPER-HERÓI, tá bom?~~

~~DÁ UM TEMPO! NÃO é tão fácil quanto parece!~~

Mas o que eu SEI é que vou tentar me tornar o HERÓI IRADO que eu sempre quis ser.

E, se eu consigo... VOCÊ TAMBÉM consegue!

\* 302 \*

Para SABER mais sobre o Max,
não perca o livro 2 das

**Desventuras de um GAROTO nada comum**

# AGRADECIMENTOS

Mal posso acreditar que Max Crumbly FINALMENTE chegou para resolver todos os problemas!

Vamos começar pelo meu time de super-heróis, liderado pela incrível Batgirl, a minha diretora editorial, Liesa Abrams Mignona. Estou muito empolgada por me aventurar com você no mundo dos super-heróis, que você conhece tão bem. Obrigada por compartilhar seu excepcional talento criativo quando eu tentava buscar um novo rumo. Quando os prazos do mal fizeram cara feia, você detonou com todos eles, e sou grata por isso. Obrigada por sua paixão e entusiasmo infinitos. Sim, isso tudo faz parte de um dia de trabalho de uma guerreira com sua batcapa. E com a ajuda do Batbebê!

Karin Paprocki, minha engenhosa diretora de arte, que usou todos os seus poderes de designer brilhante para criar as capas empolgantes e layouts maravilhosos. Criaturas inferiores teriam sucumbido às pressões do desconhecido, mas você foi forte. Nenhum errinho passou despercebido pela sua visão de águia. Obrigada por ter trabalhado incansavelmente para garantir que todas as ilustrações de *Desventuras* ficassem incríveis.

À minha editora executiva, Katherine Devendorf, que manteve tudo perfeitamente alinhado e harmônico mesmo sobre as piores pressões dos prazos do mal. Seu domínio sobre as palavras faz com que você se torne o inimigo implacável de quaisquer desvios estruturais de sintaxe. Obrigada por ser uma corajosa defensora editorial.

Daniel Lazar, meu fenomenal e incansável superagente da Writers House, com poderes telepáticos e intelecto superior. Sua extraordinária habilidade de saber o que passa pela minha cabeça e de pensar fora da caixinha faz com que o trabalho com você pareça um sonho. Seus instintos de agente literário são incomparáveis neste universo. Obrigada por ser meu amigo, confidente e bravo defensor.

À minha liga de super-heróis na Aladdin/Simon & Schuster: Mara Anastas, Mary Marotta, Jon Anderson, Julie Doebler, Jennifer Romanello, Faye Bi, Carolyn Swerdloff, Tara Grieco, Lucille Rettino, Matt Pantoliano,

Michelle Leo, Candace McManus, Anthony Parisi, Sarah McCabe, Emma Sector, Christina Solazzo, Lauren Forte, Christine Marshall, Crystal Velasquez, Christina Pecorale, Gary Urda e toda a força de vendas. Cada um de vocês possui poderes raros e habilidades de gerar vendas supersônicas e criar campanhas de marketing inovadoras. Obrigada pelo trabalho árduo e comprometimento. Vocês formam o melhor time do universo editorial e contam com uma força de peso.

Um agradecimento especial a Torei Doherty-Munro, da Writers House; aos meus agentes de direitos internacionais Maja Nikolic, Cecilia dela Campa, Angharad Kowal e James Munro; e Zoé, Marie e Joy — vocês formam um esquadrão com talentos sobrenaturais. Obrigada por fazerem parte do nosso time.

A Erin, minha supertalentosa coautora; Nikki, minha supertalentosa ilustradora. Kim, minha agente (e fiel escudeira); Doris; Don e toda a minha família — VOCÊS são meus HERÓIS! Com a sabedoria, o apoio inabalável e o amor, vocês ajudaram a transformar meus sonhos em realidade. Obrigada por acreditarem em mim. Hoje é Max Crumbly! Amanhã... o MUNDO!

# RACHEL RENÉE RUSSELL

é autora número um na lista de livros mais vendidos do *New York Times* pela série de sucesso *Diário de uma garota nada popular* e pela nova e emocionante série *Desventuras de um garoto nada comum.*

Rachel tem mais de vinte e cinco milhões de livros impressos pelo mundo, traduzidos para trinta e seis idiomas.

Ela adora trabalhar com suas duas filhas, Erin e Nikki, que a ajudam a escrever e a ilustrar seus livros.

A mensagem de Rachel é: "Transforme-se no herói que você sempre admirou!"

Não perca as novas aventuras da série

de Rachel Renée Russell!

A DICA MAIS IMPORTANTE DE NIKKI MAXWELL:

 Sempre deixe seu lado
# NADA POPULAR
 brilhar!